この政治、この国

——希望溢れる国にするために——

針貝　武紀

目次

プロローグ

遠く、遠く去ったあの日、ボクは庭の一角にいた。
ピンク色のムシトリ草がまるで絨毯のように咲きほこり、十も二十ものモンシロチョウがとび交っている。二歳かそこらのボクは絨毯と同じ高さの目線で、母にだかれるように立っている。そして小さな手を無造作につきだすと、チョウはいっせいに舞い上がり、やがてチラチラ羽ばたきながらフワリ、フワリ、おりてくる。噴水のような舞いの先にはまぶしくかがやく太陽があった。

記憶をさかのぼるといつもそこにたどりつく。大東亜戦争は始まっていた。防空壕に逃げ込む日々、田舎に疎開してノミと一緒に寝た夜。それでも幸せとしか言いようがない日々だった。令和五年をさかのぼること、ほぼ八〇年前のことである。

現代日本は平和だ。しかし子どもがかわいそうだ。いたいけない子ども同士のいじめ、大学生が両親を殺めたり、命を落としたりする事件が後をたたず、内実は真の平和とは呼べない。社会の歯車のどこかが、何かが、狂っている。

さばく人びとが、事件を家庭にかぶせてしまっては何も解決しない。子どもに関する不遇は、社会全体が子どもにとって不健全な生育環境にあることを色こく反映しているのだ。若者がことをしでかすのは自然ならざることであり、それが生じる根拠をみきわめ、根絶の努力をせねばその子らの未来もないし、国の未来も危うい。

現在、世界には全部で一九三種のサルとヒトニザル（類人猿）がいる。そのうち一九二種は体が毛でおおわれている。例外なのは自称ホモ・サピエンスという裸のサルである（サルについては文献「裸のサル」（後述）による）。

裸のサルは直立二足歩行へ、樹木生活から地面中心の生活を営むことになった。アフリカの環境は彼らにみごとにマッチした。

なぜ「出アフリカ」になったかしらないが、より寒冷な地にも生存を広げていった。地球は寒暖をくり返した。彼等は順応し、適応した。裸のサルは、高度脳を持つがゆえに文明というシステムを発明した。その稼働にはエネルギーを要する。エネルギーは薪炭からやがては石油、石炭という、太古より地球が蓄積したストックをほり出して使用することになった。これをストック依存型文明という。それは人口の飛躍的増加を可能とした一方で、大気の温暖化をもたらしてきた。

地表に拡散した裸のサルは、地域ごとに民族というグループをなした。やがて一定領域を支配する「国」が生まれ、国と国との間に利害対立を生むことになった。国には個性があった。個性によって消長が生じた。ある国では、子ども数が激減するという暗い未来を予想させることになった。なぜ暗いかといえば、そのことは民族の持続性を失わせ、国家を守れず、いずれは滅びの道をたどるからである。

本書のテーマは少子化問題である。著者はここ十数年、この問題を一個人としてフォローしてきた。わが国、内政外交、多事多難。ふり返れば、少子化は長いこと行政のテーマではあっても政治の主要テーマではなかった。長らく政権を担った安倍晋三回顧録にも、見たかぎり（質問がないからでもあるが）このテーマへの言及はない。

そこで、本論に入る前に、少子化についての国民意識がいかなる変遷をたどったか、ふりかえっておこう。

およそ八十年前、終戦の一九四五年、沖縄を含まないわが国人口は約七二一五万人。ほぼ直後から第一次ベビーブームがおこった。政治の最大テーマは、いかにして国民の飢えをしのぐかだった。が、一九五〇年の朝鮮特需以降、その懸念は去った。

経済の高度成長を経験し、その終わりの一九七三年をピークに、第一次ベビーブーム世代が、団塊ジュニアと呼ばれる第二次ベビーブームをひきおこした。世界人口は爆発的な増加がみこまれ、一九七二年にはローマクラブが「成長の限界」を世に問うた。当時はオイルショックもあってエネルギー制約も明らかになっていた。政府は当然のように、人口増加に急ブレーキを踏むべく対策会議をやってきた。

現在より四十余年前。戦後三十四年目の一九七九年。

高齢化社会の到来がさけばれている。この年三月発刊された「国土建設の将来展望」（建設省編）は、学界、言論界等、斯界の権威者九五名が執筆した論文集。人口に関しては高齢社会への懸念のみで、「少子化」という言葉は見当たらない。

現在より二十年前。

内閣府が毎年公表している「少子化社会対策白書」二〇〇四年版で「これからの五年間が人口構成上重要な時期」「第二次ベビーブームの世代の出生率を上げねばならない」という記述がでてくる。しかし、この指摘をきっかけとして政治や政府が少子化対策に本腰を入れはじめた記憶はない。

そしてここ数年間。

経済成長（ＧＤＰ）の停滞など、日本の凋落が顕著になるにつれ、少子化が日本沈没の元凶と気づいた。対して、政府は「出産・子育てを支援する」というスタンスを続けてきた。

二〇二〇年五月、内閣府作成の「少子化社会対策大綱〜新しい令和の時代にふさわしい少子化対策へ」が閣議決定された。素晴らしいプランだが、若者を直撃する消費税増税がそのままである点、残念な気もした。

令和五年度スタート時点。

岸田内閣はついに少子化問題解決への異次元の取り組みを始めた。やっと国権の最高機関が取り上げたのだ。

まず対策の柱となる試案を発表、経済的支援の強化、保育サービスの拡充、働き方改革、その他、となっていて、すべてを網羅した感がある。これなら出産をためらう人も含め、準備中の方々への大きな福音になるにちがいない。こども家庭庁の小倉将信担当大臣は「こどもまんなか」という力強いメッセージを発しておられる。

しかし克服可能性から見ると、すでに手おくれの感が強い。二十年、三十年前の少子化時代に、より少なく生まれた女性群が今や母親になる適齢期。つまり少子化はすでに少母化へと進んでしまっているのだ。今一つは、貧乏という経済的理由が大きい「不本意未婚者」

への対応がなされていないことだ。いずれも容易ならざる事態である。こうなると、まずは年当たりの出生率がわずかでも上向くこと、こちらを当面の目標とし、そこに希望を見出すしかない。

少子化問題に、日本の政治の周回おくれの典型をみる。悪しき芽が出た時に対応しておけば、何ということはなかった。そうではなく、半世紀もの長きにわたって政治は放置し、貴重な時間を政争にあけくれて浪費してしまった。そのつけが噴出している。手おくれはまさに政治の責任だが、やってみるしかない。私が過少子化問題に取り組み始めてからどれほど経つのか、忘れてしまったほどである。

私には克服する机上のアイディアはあったものの裏付けとなるデータがなかった。そこで居住地の議員さんらに協力を依頼した。だが、我関せず、の対応に終始するのみであった。

「若者を幸せにすれば（なれば）、過少子化は克服できる（される）」という小冊子を作ってくばろうとしても倉庫に眠ったままだ。ま、孤独というか、歯ぎしりしたいことも多々あって、ついには、自費ででも出版して多くの読者に訴えてみたいと思うようになった。

原稿を書きながらしみじみ思ってきたこと。お会いする人びとになにかしら疲労感が漂っている。つらい新型コロナ禍もあった。でも、人びとは、明日はこうなる、こうなりたい、そんな確信が誰でもほしいのではないか。根拠ある希望、それがあれば、どんな坂道でも苦にせずのぼっていけるだろう。

国民を痛めつける増税だ、ではなく、公権力の私物化感もなく、私たちを思ってやってくれる政治。その実感だけで信頼と希望を抱けるかもしれない。それは政治にしかできない。その力、政治力が発揮されていない。ましてや政治が私物化されていればできるはずがない。私たちの国が没落途上にあるだけに、一そうシビアな対応が求められよう。

ともあれ、本書では、政治や公的機関への苦情や悲憤を多々述べている。筆者としては、一草莽の臣が、祖国を想うがゆえにすることと確信しており、筆者の愚見は特定政党向けではなく、あくまで日本を念頭においているつもりである。さらに、政党間競争は、トータルな価値体系をきそうことに核心を置くべきで、即ち、どの政党が、最も多く支持されるパラダイムを提示できるか、を競うべきだ。

政権交代可能な体制をつくること、それが与野党、両陣営の緊張感をたかめ、切磋琢磨することで各党のパラダイムもみがかれよう。パラダイムとは、早い話、憲法が掲げる理念的な部分だ。即ち、前文、並びに、第二章の戦争の放棄、第三章の国民の権利及び義務、が中心だ。制定の経緯はともかく、時代の変化に対応していないのが問題なのだから、合意できる部分から先行して改訂を進めるべきだ。

弱小野党が平和裏に共存・林立している。それは後述する徹底討論がなされていないからではないか。正、反、合という弁証法的発展があればおのずと収斂するのではないか。

本文でも述べるが、わが国における分断や対立の構図はあきらかだし、乗りこえる処方箋もあるのだ。あとは、政治が実行するかどうかだ。成否は、公権力における私的動機の排除が可能かどうか、が左右するだろう。さもなければどこか歪んだ政策が打ち出されてしまうからである。全方位的視点から推進すべき少子化克服は、そういった万難を排しなければ不可能であろう。

私は、現役時代、二十年後の都市像を数値として予測する仕事をやっていた。たとえば、県道A線は、現在一日五千台の交通量が二十年後は二万台に増えるだろう、ならば、バイパスか現道の拡幅を要するが、未来のために現在時点で何をすべきか、それを定量的に計算する仕事だ。これがバックキャスティング思考を常とする習性に結びついている。また、戦争先の大戦では、親の小脇にかかえられて防空壕ににげ込んだり、田舎に疎開したり、戦争直後は、鞘にだかれたチガヤの穂や、その根をしゃぶったりした世代であって、傘寿をこえた今、東京や地方各地に移り住んで眺めつづけた祖国をかえりみて、最後の知的冒険をしたくなった。

ただ、すべてにおいて素人である。であるから、内容全体が一つの仮説にすぎない。もう一つ、精力を注ぎこみたいことがある。お金がないから不幸な人びとが沢山おられる。経済社会の潤滑油はお金だ。それさえあれば世の中は上手く回転するだろう。だからお金を作りたい。お金を必要なだけ作って、特に貧乏な人びとに渡してあげたいと思っている。

お金づくりも冒険だ。このような本書であることをあらかじめお断りしておきたい。

第一部：：没落途上の日本

第一章：：少子化を克服する

本章の骨子

本章においてはプロローグにひきつづき、少子化問題全般を説明して解決案を示す。その核となる哲学が「子どもは公共財である」というもの。ついで子どもの生育環境の劣化を概観し、親にとって出産・子育てしにくい状況をみる。職場における女性の冷遇。結婚適齢期男女の集団分離。不本意未婚（生涯未婚なども）について、改善すべき点が多岐にわたることを示している。多くが金欠病と関係しており、解決の決定打はお金である。

厚生労働省が発表した二〇二〇年の人口動態統計によると、一人の女性が生涯に産む子どもの数を示す合計特殊出生率は一・三四だった。単純に言うと、二百人の男女から一三四人しか生まれない。とすると、日本はいずれ消滅する。

一九四七年、敗戦直後は四・三二。これが第一次ベビーブーム。この時に誕生した人びとが、第二次ベビーブームを演出、あとは徐々に低下の一途を辿った。

内閣府が毎年公表している「少子化社会対策白書」では、二〇〇四年版で「これからの五年間が人口構成上重要な時期」とし、こう書いてある。

「わが国の人口構成上、出生数または出生率の回復のチャンスもそう長くは続かない。したがって、少子化の流れを変えるためには、これから二〇一〇年頃までの数年間に、この第二次ベビーブームの世代（第二次ベビーブーマー）を対象の中心として、安心して子どもを生み育て、子育てに喜びを感じることができるように、あるいは子どもの出生や子育てにメリットがあると認識できる施策を積極的に展開することが重要であると考えられる」

およそ二十年前、少子化の流れを変えるための「勝負の時」が指摘されていたのである。

当時、政権与党は何ら有効な政策は打ち出さ（せ）なかった。

少子化に歯止めがかからない。二〇二二年の速報値では、推計よりも十年超早く、初の八十万人割れを記録した。現時点に至るまでも、国は子育て支援策を次々と打ち出してきた。だが追いついていない。出産子育ては若い男女に任されているが、経済的その他、恵まれていない。非正規職員へ配慮はない。国はもっとエネルギーを注ぎ、縦割り行政を排して地域と一体となった支援が必要だった。さらに様々な要因が指摘される中、政府の方針には、もたもた感があった。令和五年度に至ってこども家庭庁が発足し、形がととのってはきた。

日本びいきの富豪イーロン・マスク氏は「日本はいずれ消滅する。世界にとって大きな損失だ」（月刊 Hanada 二〇二二・七）と語ったといわれているが、予想値はまさにその道を着実にたどっている。

●熊さん八さんの登壇

さて、ここで、本書の伴走者でもある熊さんと八さんに自己紹介をかねて少子化問題のあれこれの談義をお願いしたい。

熊、八「のんびりしてたら、友人から、本書の伴走者になってくれ、そう懇願されておつきあいすることになったんで、愛読者の皆様、以後、よろしくおつきあいのほどを…」

八「じゃ、早速だが始めるか。まずは日本の未来を揺るがしている少子化問題だな」

熊「一定の割合でへっていくと、百年、二百年ののちにはゼロに近づくわな、たしかに。日本の没落って本があって、うすうすそんな気もしていたんだよ」

熊「とにかく二人の男女から二人の子どもが生まれりゃいいわけよ。もっとも、中には事故死したりするから、二人プラスアルファ、なんだけど…。聞いた話だが、糸島に六十五軒分の宅地を売り出したら一年もたたずに全部、建物でうまったそうな。ここなんか新婚さんは別として、三十代にもなると二人、三人が普通だって言ってるらしいよ。昔からの年寄りがいうには、前の家も両隣も全部三人だって。だから条件がかなえば平均で、二〜三人は当たり前とのことなんだよ。分譲住宅だから自営業者はゼロ、全部サラリーマン。役所つとめも会社つとめもある」
八「糸島って福岡県のか。で、東京はどうだい」
八「聞くまでもねえだろ。少子化問題には頭を痛めてるってことだよ。複雑都市って言うか、昔から住んでいる人と近年住み着いた学生上がりの人たちとではちがうだろう」
熊「なるほど、山手線、沿線には住めないわな。通勤時間にしても所得的にも問題ありそうだね。結婚するにしても、共稼ぎでなきゃ生活できないとかハンディは大きいよな」
八「合計特殊出生率は残念ながら東京都が最低だ。貢献どころか日本の足を引っぱっている。で、細かくみていくと、区によってさえ事情はことなる。生涯未婚率——未婚率だよ——は、タワーマンションがそびえたつ港区、中央区なんて断然低いんだ。あの辺金持ちが多いってことだよ。子どもの数はやはりお金の余裕だ。それに、家庭内の子どもは三人いないと社会とはいえないんだ」

独身研究家として活躍中の荒川和久氏によれば、二〇一七年就業構造基本調査より、東京の有業者のみ抽出して計算すると、個人年収四百万円未満の男性の生涯未婚率は三五％以上になるが、同時に、四百万円以上の女性の生涯未婚率も三五％以上になる。年収四百万円を分岐点として、男女で平均を大きく上回る未婚率にふり分けられている。こちらが東京都の出生率を押し下げているのだという。一方、五〇歳時点での生涯未婚率は年々高まって現在は三〇％近い。

熊「未来は生涯ソロ社会とか言ってるぞ。話は飛んで過疎地が多い県はどうだい」

八「エピソードがある。例の糸島の古老から聞いた話だ。筑前前原駅は、福岡市の天神から四十分弱かな。下車して五分くらいの所に三角形の、ま、屋台風の小料理店があるんで、ちょっと寄り道したそうな。お客は隣に女性一人、う～ん。二十歳代じゃないな、でも四十前だな。酔ったついでに話しかけた。ちょいちょい見えるんですか。ぇぇ時々。で、今日は博多？　そう。お腹すいたんで。どうですか、市内の具合は。ん～ん。ひところは、六対四とか言ってましたけど。今は、週末なんて七対三とかいってますよ。え、何が？　ですか。若い女性と男性の数の割合。なになに？　それって、五対五にきまっとろうもん。ちがうんです。九州は女性の方が多いんです。

え！　どうして…。よく知りません。でも…。高校時代までは男女同じ人数ですけど、卒業後、男の人は大学進学とかで東京に行くからじゃないですか。（で、あんたは、あぶれたっちゅうわけか）。う〜〜ん。とすると、女性は、高卒後、地元にとどまる率が高い、ちゅうことか…。考え込んだね。そこで長老は国勢調査なんかで調べたらしい」

熊「ほう。で、どうなった」

八「出てきた。ちょっと古いけど、調べたままを報告するよ。二〇一〇（平成二二）年国勢調査を分析すると、九州の二十五歳から三十四歳までの男女別人口は、男性八十一万二千人に対して女性八十五万四千人。特に鹿児島県は、男性八万五千人対女性九万四千人で、約一万人の女性が異性との出会いにめぐまれていない。

これって男女の集団分離だ。その分、首都は男性、過疎県は女性が多いんだ。どちらも未婚につながっているはずだね。これが少子化原因の一つじゃないかな。で、普通に、男女の出会いがあって結婚・子育てした場合と比べていくら人口減少に結び付いたか。計算すればわかると思うけど。九州だけじゃないんだから。四国も沖縄も、要するに過疎県すべて。相当な、少子化促進になってるはずだな」

熊「例外もあるぞ。おらが従兄弟の出は福井県なんだけど、特に女性の未婚率が低い。持ち家率が高い上に、貯蓄率も高い。もともと三世代同居が多く、子どもの面倒を見てくれるし、結婚しても女性が仕事をやめずにすむんだ。核家族の時代だが、多世代共同育児・生活システムができている。」

八「博多は、週末になると、九州各県の未婚の女性が新幹線や高速バスでおしかけて街を歩いて楽しんで日帰りするるっていうんだよ。結局、それなんだ。ちょっと残酷な気がするな～」

熊「でもよく気づいたな、糸島のおじいちゃん。聞く力ってそんなことかな」

八「いや、疑問をとことん追及する、性分というか、ソクラテスの産婆術と同じだな」

熊「そもそも日本はお隣の国とちがって一人っ子政策なんてなかった。言ってみれば、自然の趨勢に任せてきた。で、本当のところ若い男女の気持ちはどうなんだろ？　結婚観とか、ほしい子供の数とか」

八「あぁ。ここにデータがある。少し古いけど、新型コロナの影響を受けていないころなんで、かえって、バイアスがかかっていない、すなおなデータかもしれない」

「産みたいが産めない実態」（国立社会保障・人口問題研究所の二〇一五年調査）

既婚夫婦の平均理想子ども数と平均予定子ども数：それぞれ二・三二人と二・〇一人。将来結婚する意志ある〝未婚の男女〟の理想とする子ども数＝男性一・九一人、女性二・〇二人。この差の理由：「子育てや教育にお金がかかりすぎる」（総数五六・三％）。とくに妻の年齢三十五歳未満の若い層では八割前後の高い選択率。三十歳代では「自分の仕事に差し支える」、「これ以上、育児の心理的・肉体的負担に耐えられない」という回答が他の年齢層に比べて多い。いずれは結婚しようと考える未婚者の割合は、十八～三四歳の男性八五・七%、同女性八九・三%、いぜんとして高い水準だ。一方「一生結婚するつもりはない」と答える未婚者は微増傾向、男性十二・〇%、女性八・〇%（二〇一五（平成二七）年六月一日現在）。

ベネッセ教育総合研究所のレポート（「乳幼児の生活と育ちに関する調査二〇一七」全国の〇〜一歳児を持つ家庭約三千世帯が回答）：母親の約七四%は「子どもをもっとほしい」。現在子ども一人の母は約 九〇%が、二人の母は約六四%が、それぞれ次の子を望んでいた。一方で「子どもをもっとほしいがむつかしい」と考える母親は「子育てや教育にお金がかかる」が約八一%で最も多く、「子育ての身体的な負担が大きい」約五〇%、「子育てと仕事の両立がむつかしい」約三七%。「お金がかかる」を選んだ人の世帯年収別は「四百万円未満」約九一%、「四百〜六百万円未満」約八十五%、「六百〜八百万円未満」約七八%と、年収が増えるにつれて比率は下がった。また、子育てや家事を助け合う「チーム育児」をする夫婦は、そうでない夫婦と比べ、子どもをあと一人以上もつ予定だ、と考える人が多かった。

熊「日本の若者の感覚はとても健全なんだな。条件次第で、二人、ないし、三人はごく当たり前なんだから。政府は楽ちんだよ。だってそんな条件の所を全国津々浦々につくりゃいいんだろ」

八「二つ目の原因は、所得がネックってことだ。そりゃそうだろう。年功序列だろうが、それが崩れようが、能力的には、就職したてのほやほやの仕事の能率は先輩に劣るので月給が少ない。けど出産子育てという、言わば国家的な見地からは所得の少ない若者にがんばってもらうしかない。国の要請に応えるには、所得がもっともっとふえなければ無理ってことだよ。てことは、国家が本気で少子化を克服しようとするならば、出産子育ての資金をおぎなってやる必要がある」

熊「ギャップをどう埋めるかって問題だな。なんとなくわかってきたが、ムードじゃだめだ。何か裏づけとなる理論がいるんじゃないか」

●子どもは公共財

次は、東京大学経済学博士、福岡大学の山﨑好裕教授の説明である。教授は以前から一般社会人を対象に塾を主宰されており、筆者も末席をけがし、様々な疑問点をぶつけ、たとえば少子化については、出産子育て期間の所得が低いことがそれを助長しているのだから、公費でもって不足分を補うべきではないか、との意見を投げかけてきた。

以下は、福岡大学経済学論叢 Vol.64No2 抜粋二〇二〇年三月「貨幣と国債、あるいは少子化対策」の一部である。引用しよう。

針貝氏は、少子化は亡国の道であるという基本的な観点に立って、いかにして人口論的な傾向を逆転させるかという政策を構想される。氏によれば、これまでの少子化対策は個別的かつミクロ経済学的な政策が中心であったため、その効果を上げることができていない。そうではなく、マクロ経済学的な観点から人口の長期的動向を左右するような抜本的な対策を必要としているとする。端的に言うなら、子育て世代に十分な所得を与えるということ、これである。近年の財政再建を目標とした緊縮的財政運営は結果として日本の経済成長を低迷させ、若者層の所得の伸び悩みと子育て世代の窮乏化をもたらしていると針貝氏は捉える。今こそ経済政策を転換し、積極的財政政策に舵を切ること、これが何よりの少子化対策である、と、これが氏の立論の骨子である。（中略）しかし私のようなアカデミズムの経済学者からすれば、認識の間違い、あるいは、論理の混乱が多いことも指摘せざるを得ない。（中略）

子どもは将来の労働力であり、日本の担い手である。子どもたちが少なくなることは私たち大人にとっても将来への希望を見えにくくし、経済活動を不活性化させる。また、もし昔のように多くの子どもが地域で遊んでいる光景が復活するなら、それ自体が地域を明るくし、住民全体の効用を大いに高めることであろう。これは経済学の言葉では、子どもは公共財であるということである。（中略）子どもを公共財として見る視点を国民全体で共有できるならば、政府が全体として責任をもって子供を産み、養育する費用を公的資金で負担しようという合意を形成できるはずである。(中略)

子どもは公共財である。非人道的などと非難しないでいただきたい。経済学は子どもを財としてとらえる。もちろん人身売買など毛頭も考えていない。子どもは効用、すなわち、役立ちをもたらしてくれるので財なのである。古くは、子どもは資本財であった。資本財は保有すれば所得をもたらしてくれる財である。子どもは家族の労働力として重要であった。畑仕事、水汲み、子守、さらに大人に職場がない場合、子どもが家族に収入をもたらしてくれることも珍しくなかった。つまり、資本財としての子どもを多く生み出すことは、所得の増加につながったのである。

同様に社会保障制度が未整備であった時代、子どもは老後の所得補償でもあった。子のいない高齢者は端的に貧困に陥らざるを得なかった。今は、かつて子どもが持っていた資本財としての側面は完全に失われている。これは子どもへの需要を劇的に減少させ、傾向的な少子化の原因となっている。しかし失われることのない子どもの意味がある。それは消費財としての子どもである。消費財は効用をもたらしてくれる財である。効用は精神的な満足や喜びにつながる。子どもは親にとって産む喜び、育てる喜びなど、人生の中の主要な幸福を与えてくれる稀有の消費財である。だが、生活水準の上昇とともに、この側面も相対化されている。子どもを持たず犬猫などペットを飼う人が増えている。また夫婦が人生の喜びを味わう時、子ども以外の様々な代替手段にも事欠かないのである。つまり、「子どもでなくてもいい」が少子化を一層推し進める。こうした中、針貝氏の文章に刺激されて、私は全く新しい命題を思いついた。

それは、先に述べた子どもは公共財であるというものである。公共財とは非排除性、非競合性を特徴とする財である。非排除性は誰でも使用可能であること。非競合性は多数が同時に使用可能であることである。古典的な例では平和や秩序がある。この国土に住む限り、誰でもが享受できる。しかし、そのために民間が提供することができない。そこで政府がこれらを提供することになり、平和は自衛隊によって、秩序は警察や法体系によって守られている。民間は非排除性から、利益はおろか費用すら回収することができず、民間に任せる限り、公共財の供給は必ず過小になる。私たち大学教授、学者が提供する知識や技術も公共財である。誰でもがそれを学び利用できる。だがそれでは私たち学者は生きていけない。そこで大学教授として雇用され、多額の税金で養ってもらっている。かつて、民間金融機関の不良債権解消のために公的資金が導入された。民間企業に税金を注ぎ込む理由として当時私が公に語っていたのは、個々の金融機関は民間企業だが、総体としての金融システムは公共財であるからという理由であった。（中略）だが現在子どもという公共財の供給は家族や親という民間に任されている。彼らは公共財の供給にかかった費用を回収できないため、端的に言って経済的に余裕がないため、子どもも多く作ろうとしない。

（中略）

子どもは独り立ちするまでに長期間にわたって多額のコストを必要とする。現在親たちは当座の資金に不足しているのはもちろんだが、それだけの長期間にわたって所得が保証されるのだろうかという不安に怯えている。また、子どもの引きこもりや犯罪のリスク、いじめや虐待の問題、三十過ぎても自立できないなどの問題にも大きく悩まされている。

こうしたことへの総体的な補償、説明が少子化対策としては、今後も政府に求められているのである。（「貨幣と国債、あるいは少子化対策」福岡大学『経済学論叢』山﨑好裕より一部抜粋）

筆者はさらに執拗に、なぜ積極財政に舵を切らないのか、問いかけた。以下、メールによって得た回答である。

私たち日本の経済は失われた二十年等の言い方がされるように、長い景気低迷と経済成長率の低下のトンネルの中にあります。経済成長率の低下は、根本的には労働人口増加率の低下と労働生産性上昇率の低下とによってもたらされるものです。

労働人口増加率の低下は、言うまでもなく少子高齢化の直接の帰結です。労働生産性上昇率の低下も、新しい技術や知識を担うことのできる若年層が減少したことによってもたらされている面があります。

さらに、経済成長率の低下は、直接的には企業の国内設備投資が減少していることによってもたらされていることは明らかです。日本企業は国内市場の縮小のトレンドをにらんで、国内では設備投資をせずに海外への直接投資や金融資産への投資にお金を回しています。これは日本のＧＤＰが成長しない直接の原因になっています。

こうした長短の問題のいずれもが、少子高齢化によって引き起こされているのです。だから、この少子高齢化への対策によって、日本の出生率が高まれば、期待成長率が上昇して企業は国内設備投資を増やすようになるでしょうし、労働人口増加率の上昇と労働生産性上昇率の回復につながる人材育成も可能になるのです。こうして日本の経済成長率が長期的にも短期的にも高まることの恩恵は、日本人であれば誰でも、また、日本人が何人いても享受することが可能です。そして、こうした好ましい事態は出生率を回復し、子どもの数を増やすことによってもたらすことができるのです。

もうお分かりと思いますが、私が「子どもが公共財である」と言っているのはこういう意味においてです。もし、子どもが私的財、つまり、その所有者である両親にだけ恩恵をもたらすものであれば、子どもを産み育てる費用は当然両親が個々に負担すべきでしょう。しかし、子どもは公共財なのですから、養育費、教育費の多くを政府が税金によって負担するのは当然のことだと言えるのです。（中略）

そこで私（山﨑教授）が提案したいのが、社会保険料を一定の年齢を超えて子どもがいない場合には引き上げることです。これは子どもがいる世帯については、その子どもが成長した後に社会保険料を負担してくれるのに対し、子どもがいない世帯については将来的に受給のみになり不公平があるからです。なお、この議論にあたっては、日本の年金制度が積立方式ではなく、世代間での所得移転を意味する付加方式であることに注意が必要です。（引用、ここまで）

熊「おいおい、これってすごい発見だ。政府が出産子育てを支援する、とのスタンスから、政治自ら、子どもを供給する責務を負うってことだよ。てことは、適齢期男女に出産子育てを委託することになる。委託するからには、必要資金を与えねばならない。若い男女は修行途中だからサラリーは少ない。だからかなりの資金を供給せねばダメだ。ということは潤沢な資金が政府には必要だが、このことをクリアできるかって話になってくるぞ」

八「ん〜〜ん、これで解けたぞ、難問が。ところでこんな話を聴いたことないか。『多くの夫妻が二人で満足し、三人目が産まれれば、家が手狭になるから、と、これを回避することがわかった』(月刊Hanada2022.7門田隆将)っていうんだが…。

こいつもすごい発見だ。逆に言うと、家が手狭でなければ三人目も可能ということだよ」

熊「ったくだ。現に、糸島の田舎では、両隣の二軒、対面の一軒のお子さんはすべて三人、というんだ。しかも、新型コロナ禍が追い風となって、地方定住の流れが出てきた。地方には古民家が空家のまま点在するなど、広めの住宅ストックが十二分に存在している。これを活用しない手はない。加えて、野菜も魚も安価で生活費が安いしな」

八「で、少子化の枷となっているのが所得だ。その枷を除くことが少子化問題克服の必要条件だよ。これなくして解決は道半ば。では十分条件を満たしているかどうか、そこらはどうだい」

熊「どうやら、哲学が必要になってきたな。そうそう食糧自給率をアップする必要なんかも絡んだ話になる」

●劣化を続ける子どもの生育環境

子どもが伸び伸びと育つには、豊かな自然的・社会的環境が必要だ。それは親にとって子育てしやすい環境ということでもある。だがそれは万全だろうか？　実は、日本の子どもの生育環境は劣化をつづけており、このことが少子化を助長してきている側面もあるのだ。所得の向上を必要条件とするならば、生育環境の改善・整備は十分条件の一つだ。

その昔〝山野河海〟は無主のものとされ、落人も盗賊も、そこに逃げ込めば、自然の幸で空腹を満たしたりして生きのびることができた。まことに奥行きのある国土だった。身近な自然や、自然と融和した施設、たとえば近隣の神社の杜。そういった出入り自由な空間は、すべて子どもに解放されていた。雑然とした街並みは、鬼ごっこ、かくれんぼ、隠れ家を与えてくれた。

そういった、幼少年が健全に育つ空間自体を社会資本と呼べるだろう。なぜならば、幼少年にとって遊びは三度の食事に等しく魂の滋養であり、それが三つ子のよき魂となって百まで生き続ける。否、大人になってからこそ、その体験は生きてくる。即ち、自然的・

社会的空間は、感性を育て、個々の経験は個人の文化資本となって将来の知的生産の力となるからであり、また、後述するが、幼いころ自然の中で遊んだ経験が豊富な人ほど社会規範が育ち、彼らは、社会の正義を実現する上での有用な人財となるからだ。

ここで想起されるのが、宇沢弘文経済学博士の「社会的共通資本」(以下、共通資本と略称)だ。博士によれば、共通資本は、自然環境、社会的インフラストラクチャー、制度資本という三つの大きな範疇に分けて考えることができる。

"山野河海"とは異なるにせよ、農山村それ自体を、共通資本のカテゴリーに分類できるのではなかろうか。農の営みによって、水田のダム機能や自然景観が保全され、それゆえに、農産物、その他の富を産出することができる。

しかし都市、農山村のいずれであれ、自然環境は劣化の一途をたどっている。大都市においてはビルなど私的なものに占有されて公共空間が減少し、これに伴い、冒険ができる空間は狭められ、蚕食されてしまう。かつては遊び空間でもあった道路は車で占拠されているし、「危険につき立ち入り禁止」の看板も無神経に子ども空間をとり上げている。遊びを奪われてひ弱になった分、いざという時の応用動作が効くかどうかが懸念されるのだ。

子ども目線の共通資本「遊びの空間」を縮小させてきたのが市場経済だ。筆者は小学五年生、誕生日前の十歳の春、里山の湿原で初めてハッチョウトンボを発見した。郷里の小林町で初めてのことだった。でも、やがて湿地では米作りが始まり、殺虫剤のホリドールがまかれて一切の生物が死滅してトンボの聖地は失われてしまった。悲しみの内に高校を卒業、進学のために都会に出た。おそらく当時、同様の環境破壊が全国あちこちでおこっていたことだろう。

このことは、親の立場とすれば、子育て環境の劣化に他ならない。

出産・子育て世代の人びとは、そういった負の環境にも敏感だ。とあるテレビ番組で、街頭インタビューをやっていて「子どもを作りますか」ときいていた。女性の「子どもが社会に歓迎されるようなら産んでもよいが……しかし、う〜ん」という迷いの答えが印象的だった。環境だけではなく、狭隘な住居、少ない所得、あらゆる条件が反映され、まさに育てにくさを感じ取っての回答だったからである。

環境の劣化は、子育てしにくさにつながり、出産・子育てへの意欲を減退させてきた原因でもあったはずで、過少子化は、生育環境の劣化の当然の帰結でもあったのだ。

よって、少子化をストップさせる十分条件の一つに、生育環境の再生と保全がなければならない。筆者の場合、昆虫採集や山歩きが楽しく、その体験が豊かな感性を育ててくれた。蝶の鱗粉のにおい、羽の力、トンボ、カマキリのかむ、はさむ力、など、生き物の細かな概念が脳内にインプットされた。それらは豊かな文化資本として蓄積され、後年、文章を書く折などの、昆虫の描写などに役立っているのだ。

建築家の仙田満博士は子どもの遊びの意義について以下のように語っている。

今の日本の経済的な発展は、食べる物はなかったがあそび場にもあそび時間にも友達にも恵まれた環境に育った人々によって支えられている。(中略) しかしいま、子どもたちはあそび空間も、あそび時間も、友だちもいない。ものは豊かであっても子どもたちは幸せだろうか。二十一世紀の日本は創造的な国であり続けられるだろうか。あそびの環境のことをもっともっと大人が考えればならない。子どもたちはあそびの天才ではあるが、それを発揮できる環境にない。それは大人である私たちがつくり上げてしまったものだ。私たちがそれを自覚し、子どもたちと一緒になってつくりなおしていくしかない。そうでないと日本の未来、いや地球の未来はない。(仙田 満著「子どもとあそび―環境建築家の眼―」岩波新書一九九二年版)

社会的共通資本の過不足の観点から、少子化関連の政策論を (仙田氏の論考をのぞけば) 聞いたことはない。かかる劣化状態下でするアンケート調査には、「子育てしづらい」とのマインドが無意識のうちに反映されることだろう。

よって、子育て環境が劣化した現状でのデータには、それら負の環境が反映されているはずだから、それをもって、新たな政策を立案するというのは本末転倒。出産子育ての環境整備こそ先行すべきなのである。

かつて江戸末期から明治初めを観察した異邦人による日本は、「子どもの楽園」だった。それこそ先行して実現されるべき、というのが筆者の意見であり願望である。それがととのった段階で、再度アンケートをしてみれば結果は自ずから異なる。この充分条件を満たすことを少子化対策の支柱とすることが肝要ではないか。

●女性を取り巻く理不尽な慣習

少子化問題に精通されている立命館大学教授の上久保誠人先生が、少子化を助長する一因たる悪しき雇用システムの弊害をどのように克服するか、骨子、以下のような提言をされている。

「職場などに根づよく残っている旧弊たる『男尊女卑の風潮』が、今もって日本型雇用システムにむすびついており、女性が正社員になれない『あしき慣例』となって少子化を助長している。

二十一年時点の労働力の内訳を見てみると、正規雇用は男性が二三三四万人に対し、女性は一二二一万人。非正規雇用は男性が六五二万人に対し、女性は一四一三万人となっていて、本当の意味での『女性活躍』には程遠いことが分かる。即ち、数年のブランクのある女性は正規雇用での職場復帰はむつかしく、正規雇用での中途採用枠もきわめてせまいのだ。理想はこのことをまず打破することだが簡単にはいかない。まずは政府等が対応可能なこととして次がある。エッセンスは『ファミリーの所得倍増計画』というべきもので、妻が理想の〝正社員〟として働いたと仮定して得られるであろう所得を夫の所得とは別に、追加的に与える、そのうえで、共働き世帯の、たとえば、都市域ならば、保育園への待機児童の解消など、周辺のさまざまな課題を解決していこう」。（以上で提言終わり）

要約を氏にご高覧いただいたところ、私（上久保）の考えを一人でも多くの方にご紹介いただけること、感謝致します、とのことであった。御教示にあつく感謝申し上げたい。

●自治体の先進事例は明石市

少子化克服の先進自治体として有名な明石市。本市では、子育てに関して以下の五つの独自の無料支援制度を採用している。経費は当然ながら、従来の予算を組みかえて、ねん出してきたわけだ。最初に、危機感ありき。そして、トップのやる気、プラス、市民の共感と支持、支援ではないか。

イ）医療費は高校生まで完全無料
ロ）給食費は中学生完全無料
ハ）保育料は第二子以降の全員完全無料
ニ）公共施設の入場料無料（親子とも無料の施設もあり）
ホ）おむつ満一歳まで無料（宅配あり）

出生率が向上するだけならば意外とあっさりクリアしてしまうのではないか。なぜならば、日本民族は、ワッショイ、ワッショイ民族だからだ。今でこそ価値観は多様だが、国民挙げて一つのことに熱中する性分があるのだ。東京オリンピックだ、万博だ、大谷翔平だ、となると、世論がそれ一色になってしまう。

現在、過少子化は日本の危機だ、日本民族が消えてなくなる、出生率を向上させねばならない、という大号令がかかった状態である。すべてがそれを目指して、ワッショイ、ワッショイ、始めることで、意外と早めにクリアするのではないかと思われるのだ。それには、夢と希望が先行しなければならない。

●まずは出生率向上の兆しを目標としよう！

政府も、本腰を入れ始めたが、遅きに失する、の感を免れず、バックキャスティング思考があれば、戦略的で未来先取り型の政策も確立されようものを、その思考法が不足しているように感じられてならない。

人口が減少過程に入ると、経済規模をはじめ、すべてが縮小していく。出産可能な女性数の減少。人口減少分の国内マーケットの縮小。あわせて、財布のひもが固い高齢者の増加が消費の減少をまねく、といった具合だ。

現代資本主義下の企業は成長を前提として経営している。ところが真逆のことが起きるのだから、じょじょにソフトランディングを試みねばならない。日本企業が長期にわたって安い労働力を海外に求め、海外投資を拡大、国内投資の減少に拍車をかけて国内の空洞化が進行した。今日の合計特殊出生率では経済スケールのスパイラルダウンは必然であり、まさに死に至る病だ。少子化克服は喫緊の課題ではあるが、他方では技術革新等の総合的な取り組みを要するだろう。

この、構造的問題への対処についての分析や処方箋の提言はあるかを探ってみた。容易にお目にかかることができない中で、経団連二十一世紀政策研究所では二〇一二年、レポート「グローバルJAPAN-2050年シミュレーションと総合戦略―」を取りまとめて公表していた。共感することばかりだが、一点、気になることがある。それは、現行の制度を前提としていることで、戦後制度の見直しについての言及はない。枠組みが、時代にマッチするかが大切なのだから、大胆に踏み込んでほしかった。

岸田総理大臣が「子ども・子育て政策」について「仕事と子育ての両立」ができる環境の整備を中心とする、従来とは次元の異なる少子化対策を実現したいと語ったことに対して独身研究家の荒川氏が異を唱えている。（聞き手／AERA dot. 編集部・吉崎洋夫）。

大いに傾聴するに値する反論で、その主たる主張を、筆者の責任にて述べるならば、次のようになる。

主張のエッセンスは、総理の対策は子育て支援にはなるが、少子化対策にはなっていないということである。出産可能とされる女性の十五歳～四十九歳人口は一九九〇年の三一三九万人をピークに減少し、二〇二〇年には二四三〇万人になっているということが決定的であるというのだ。即ち、少母化の進行である。さらに結婚しない人もどんどん増えている。一婚姻当たり一・五人の子どもが生まれているのは九十年代からかわらない。二人を三人に増やすという政策努力よりも、結婚数を増やすべき、との主張だ。

荒川氏曰く「結婚したいと願っている若者が、若者であるうちに結婚できない。そんな、結婚したいのにできない若者が四割も存在する状況こそもっと真剣に向き合うべき問題ではないでしょうか」。

実は、実務担当者は問題の核心を理解しているのではなかろうか。要は、所得保障の原資の調達の困難を知りつくしたうえで、核心からそれた方針を提示しているのではないかとかんぐってしまうのだ。つまり、「予算がない。ない袖は振れない」という諦念から出発しているのではないか。各省が予算を伴う新機軸を打ち出すには財務省の了解を要するが、そのこととの関連、さらには財務省の権限との関係はどうなのか。本来は、立法府の役割のはずなのだが、それは不明のままだ。

ここでの結論は、母親のなり手不足がある限り、当面、あるいは当分の間、人口の縮小を見ることはやむを得ないこと。まずは「出生率／年」が現在よりも少しでも上向くこと。そのことを、当面の実現目標にするほかないのではないか。遅きに失すること、それに気づかない政治がまずかったとしか言いようがない。大胆に、強力に、超党派的に、考えられるあらゆる施策でもって取り組まねば成功はおぼつかない。

●少子家庭では社会性が培われない

少子化も加勢して、人びとの生活単位のほとんどが核家族である。がしかし、次のような質的な問題もあることを指摘しておかねばならない。

文献「裸のサル」によると、サルを使った実験が示したところでは、若い仲間から隔離されて育てられたサルたちは、のちに年長の若ものとして仲間といっしょにされても、遊びの仲間の活動に加わることができなかった。（中略）成熟した時、かれらは肉体的には健康であったのに、性の相手に関心を示さなかった。強制的につがわせると、隔離されて育ったメスたちは正常に子を産んだ。しかしその子をまるで自分の体をはいまわる巨大な寄生虫のように扱う始末になった。彼女たちは自分の子を攻撃し、追い払い、殺すか無視してしまうかしたのである。

幼いチンパンジーで行われた同様な実験は、この種類においては、長期にわたるリハビリテーションと特別な世話をしてやれば、初期の隔離による行動の欠陥がある程度までは回復することを示した。けれどその場合でも、このような行動障害の危険を、過小評価するわけにはいかない。我々の種においても、過保護の子どもは、大人になってからの社会的接触においてつねに苦しむものである。このことは兄弟がないためにはじめから不利である一人っ子の場合、特に重要である。もし彼らが子どもの遊び仲間たちとのとっくみあいの社会化効果を経験しなかったら、彼らはえてして内気で、一生引っ込み思案となり、性的なつがいを作ることを困難あるいは不可能と感じ、やっと親になったとしても悪い親になりがちなのである。（「裸のサル」デスモンド・モリス著、河出書房新社）。

とはいえ、実際は、さまざまな仕方で集団性を確保すべく配慮されていて、案ずるほど弊害は出ていないかもしれない。が、三つ子の魂百まで、となると、大人になって引きこもる人びとの三つ子時代の生育環境との関係が解明される必要があって、そうなれば、改めて、三つ子時代に与えられるべき環境、及び過ごし方が提案できることだろう。

私たちはヒトのことを人間という。ヒトの間、とは人間の社会が集団性を持つことを意味しているのではないか。子どもにとって、一人っ子では不完全な社会なのである。とするならば、当世、核家族は致し方ないが孤立をさける工夫が必要だ。核家族を含む多くの家族が共同で育児を担うとか、子育てを終えた世代の余力を借りて多世代での育児をするとか、様々な機会を作って集団性を確保すべきだ。

他方では、胎教に引き続いて、生まれ出た嬰児をさっそく抱いて、母親の心臓の鼓動を聞かせるのがよいといわれている（体内を思い出してか）安心するかららしい。手を胸に当てると、ほとんどの人は、ドキドキする感触は左側に感じるといわれる。聖母マリアをはじめ、幼子を抱くのは、幼子が鼓動を聴きやすい左腕ではないだろうか。とすると抱き方一つにも意味があるのだ。

後述するが、江戸時代の子どもたちの幸福というものは社会全体が育んできたものだった。急ぐ人力車でも、道の中央で無心に遊ぶ彼らを、一人一人抱いて道端に移しながら通っていく。当世、あのいたわりと優しさがあるのだろうか。ないとすれば、なにゆえにないのだろうか。

今は、社会全体が、意識するか否かはともかく、かよわき母親への加害者になっているのではないか。今くらい、生き馬の目をぬくせちがらい世間を母親たちに与えて無頓着な時代があっただろうか。子どものはしゃぐ声を騒音と感じる異常性をなんとしよう。かく言う私も加害者として深い原罪意識にさいなまれているのだが……。

第二章：：財政問題と貨幣

本章の骨子

本章においては貨幣の問題を取り上げる。少子化を克服するためには所得保障が絶対的条件だ。このため何としてでも、潤沢な資金を準備せねばならない。ここでは電子マネーに着目して新しい貨幣の創造を提言した。こうすることで公債を発行することなく（国の借金を増やすことなく）潤沢な資金が得られるのではないか。

お金ほど不可思議な存在を知らない。だからこそ固定観念にしばられずに柔軟に思考し、貨幣なるものを、縦、横、斜めから検討することで貨幣機能の新しい地平を切り開かねばならない。

●世にも不思議なお金のものがたり

少子化克服のカギは、潤沢な資金、つまりお金を必要なだけ準備できるかどうかにかかっている。これからお金の問題を扱うが、お金というのは、判ったようで判らない、不思議なものだ。

かつて経済は物々交換から始まったのだろう。そこで、一人対一人ではなく複数間でも成り立つように、共通の価値となる何かを創ったとしよう。これを貨幣と呼んでみようか。次第に知恵もついて、時間をずらしても交換できる何か、したがって貯蔵しても減価しない、つまり、すりへらない何かを使うようになってきた。かつては、それが珍しい貝類であったかもしれない。贈与、販売、貯蓄、財産、購入、いずれもお金に関する言葉に貝偏が付いていている。

その昔、ついに永久に変わらない、何かが誕生した。

学者の中沢新一著作になる「愛と経済のロゴス」(講談社選書)によれば、

「古代ギリシャの賢王ミダスは、貨幣というものが発明されたことを知って、これを自ら手にしてみたが、とたんに恐ろしい予感に襲われて、思わず手にした貨幣を取り落としてこう叫んだと言われる。

『この貨幣というものは大地を殺すであろう』ミダス王は貨幣そのものが大地への呪いであると直観したのだ」（引用終わり）。

連日のようにどこかで論じられているのが、この不可思議なお金のことだ。

誰も貨幣の真相を知らないために、どんなに議論しても並行線だったり、堂々巡りの議論に終始したりしている。現に、先に登場された東大経済学博士の山﨑教授でさえも、次のように、その不思議さを述べているのだ。筆者の責任でポイントだけをピックアップしたい。

貨幣は、元々は金などの貴金属をその素材としていました。しかし、紙や卑金属の貨幣が一般的になり、さらに今は徐々に電子化されていく方向に向かっているわけです。カール・マルクスは、金貨から紙幣への転換について次のように推察しています。「鋳貨機能は事実上は全く、その重量から、すなわち、すべての価値から独立したものとなる。金の鋳貨実在は、全くその価値実体から分離される。こうして、相対的に価値のない物、紙券が、金のかわりに鋳貨として、機能しうるのである。」（向坂逸郎訳・マルクス『資本論（一）』岩波文庫、一九六九年、二二一―二二二ページ）すなわち、素材としての金が金貨に鋳造されると、金自体の重さがすりへって軽くなったとしても、その鋳貨が表している金額だけの価値を表すものとして流通し始めるというわけです。だとすれば、価値があるのは金の重さでなく鋳貨としての姿そのものだということになりますよね。だったら、それは銀でもいいし、銅でもいいかもしれない。いっそのこと、軽くて原理的にいくらでも印刷できる紙のお金でもいいということになるわけです。このように、マルクスは、お金の価値というものはそれ自体に内在しているのではなく、他の商品との関係のなかでどのような位置にあるかということだと見通していたようなのです。これがさらに進めば、物質的な肉体を失って電子的な記号になっても一向に構わないということになります。（中略）

貨幣の役割は何と言っても商品の流通を媒介することですよね。でも、同時に私たちは貨幣を取っておくことがあります。それは、今は使わないけど将来使うという理由かもしれないし、信用で買った後で決済に使うためかもしれない。さらに、ここでマルクスが言うように、貿易で海外に払うときに国内紙幣ではダメで、昔は金でなくてはいけなかったという理由かもしれないのです。だから、世界的には貨幣は最終的に金だったわけです。つまり金本位制ですね。

ジョン・メイナード・ケインズはこの金本位制度を廃止することを彼の使命としていました。「指摘するに値する興味深い点は、金を価値標準として用いるのにとくに適したものにしていると伝統的に考えられてきた性質、すなわちその供給の非弾力性こそが、まさに困難の根底にある性質にほかならないことが明らかになったことである。」（塩野谷祐一訳・ケインズ『雇用・利子および貨幣の一般理論』東洋経済新報社、一九九五年、二三四ページ）金はなぜ価値があるかと言えば、希少だからです。大量の金鉱石のなかから僅かにしか採れませんから。多くの費用と労力を費やしても得られる量が少ないから高価になるわけです。金の国際価格が上がっても工場で生産するわけにはいかないから供給が増えませんから、金の高値は持続することになります。そうした僅かでも高価である性質が金を貨幣にしてきたわけですが、そのことが現代においては経済にとって害悪になっているとケインズは主張しているのです。

なぜかと言うと、希少な貨幣を求めて人々が殺到するため、貨幣の価格とも言うべき金利が上がってしまうからです。すると、会社は工場を建設したりするお金が借りにくくなって雇用も生産も増えなくなってしまうのです。言わば、金融栄えて経済ほろぶとでも言った事態ですよね。だから、ケインズは中央銀行が金から離れて自由に貨幣を発行できる管理通貨制がよいのだと考えました。（中略）「土地の所有者が、土地が希少であるために地代を得ることができるのとまったく同様に、資本の所有者は資本が希少であるために利子を得ることができる。」（同、三七八ページ）でも、管理通貨制になって貨幣は希少でなくなったでしょうか。使いもしない貨幣をため込むお金持ちはいなくなったでしょうか。どうもケインズが予想し予言した方向に世界は動かなかったようです。現実には国や地域ごとに異なった種類の貨幣が使われており、それらの間に成り立つ為替レートの変動が投機的な行動を招いていますよね。その度に一般の人々が過度な円高や円安に苦しんでいるわけです。また、それ自体としてほぼ価値のない貨幣の究極体とも言うべき電子通貨が、投機の対象となって過度の値上がりを見たかと思えば、それが崩壊して暴落したりもしています。一時多くの耳目を集めたビットコインには、本来その希少性を維持する仕組みが組み込まれています。たとえば、発行額の上限が決まっているとか、多くの電力を使って採掘する必要があるとかです。インフルエンザや新型コロナウイルス感染症が五類に分類され、季節性の日常的な病になっても、おそらく私たちを苦しめ続けるように、私たちにとっての貨幣の謎はまだ継続していきそうです（二〇二三年一月、山﨑 好裕塾における塾生向けのテキストのネット配信による）。

●タイタニック号の衝突は、いつ、いかなる状況で起きるか明示されない不思議

従来の見解を述べておこう。

この問題を解く鍵は、「お金」というものが、金（ゴールド）と等価の商品から、発行元の政府を信用するが故に流通する「信用貨幣」に置き換わったことにある。

さて、時代環境は変わっているのに、日本の諸制度のかなりは、敗戦直後の法制度のままだ。国の財政を律する財政法もしかり。時代の変化に対応できているのか、その点は問題であって、一つの指摘が財務省事務次官の矢野康治（当時）氏の文藝春秋（二〇二一年十一月号）の寄稿であろう。その趣旨は「このままでは国家財政は破綻する」ことへの警鐘で、寄稿するに当たっては大臣の許可を得ていたと言われている。つまり、内閣が承認した内容である、ともいえるわけだが、内閣が承認したことが、即、立法府の承認ということにはなりそうもない。

さて、次官の心配を端的に表現するのが「ワニの口図（文藝春秋二〇二一年十一月号九七頁）だ。これ以上、各年の一般会計歳出を借金で穴埋めすることは許されない、とす

るもの。図の表題は、「一般会計税収、歳出総額及び公債発行額の推移」であり、横軸は一九七五年から二〇二二年まで。縦軸の単位は「兆円」二〇二〇年は一四七・六兆円、となっている。各年の「一般会計歳出マイナス一般会計税収」額を「借金で穴埋め」しており、年々、ワニの口のように広がっている。その結果、「すでに国の長期的債務は九七三兆円、地方の債務を併せると一一六六兆円になります」(原文のまま)

この構造のまま、年々予算が増大していくと、国家財政はいずれ破綻する、という懸念が示されている(図は原典を筆者が模写したもので厳密さを欠く。傾向としてご理解いただきたい)。

次官が主張されたいことは、一般会計歳出を減らすために、「財政需要を圧縮して緊縮財政を推し進め、ワニの口を閉じよう」ということ。でも、このまま放置すればどうなるのか、判然としない。

自己流のシミュレーションをやってみた。常識的に考えて「自然体ではＧＤＰは拡大し

図 -1

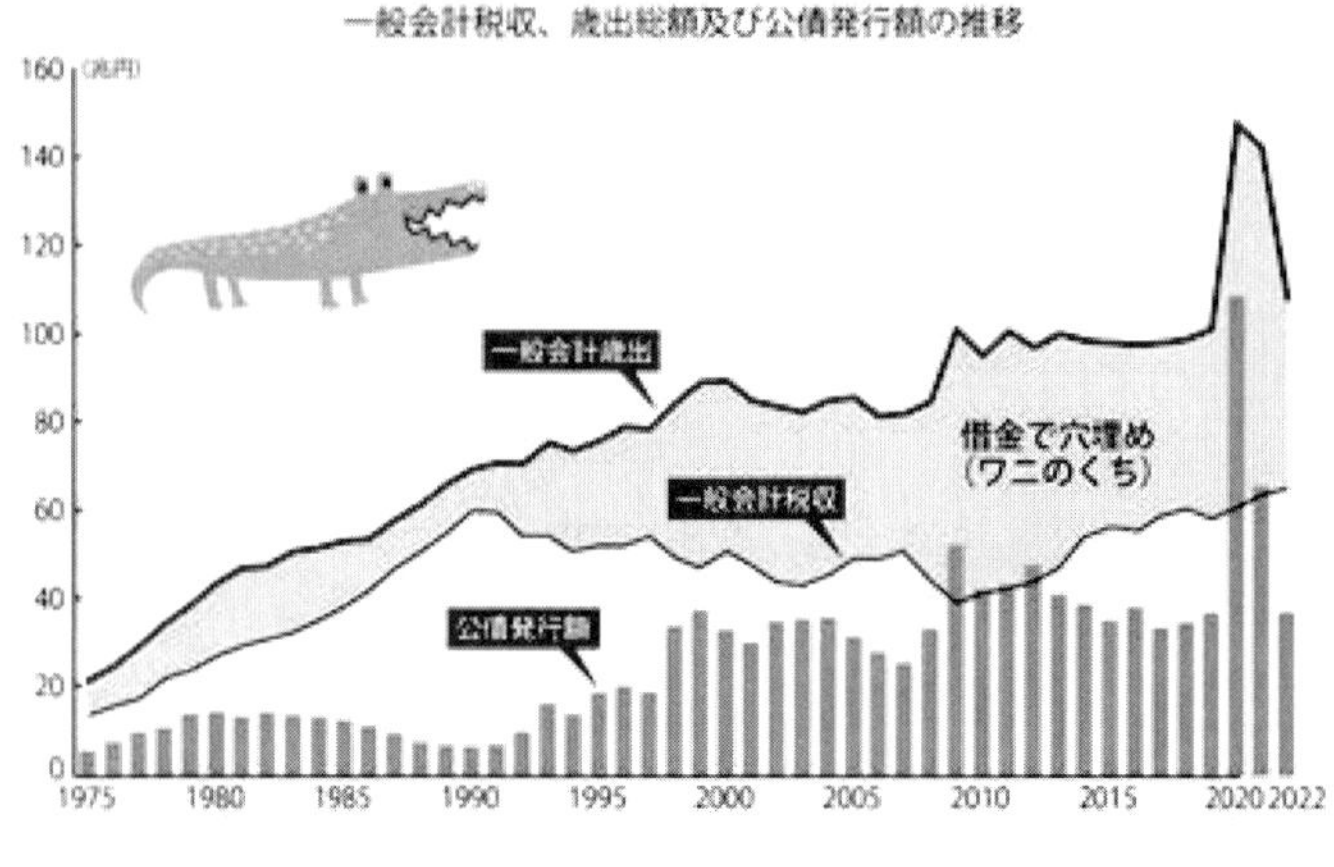

ない。増税も簡単にできそうもない。行政ニーズ(矢野論文でバラマキとされるものを含む)をカットすることも事実上不可能に近い」のだ。そこで「ワニの口を閉じるのは不可能」と考えてみた。そのうえで、不可能ではあるが、本文にあるように財政破綻たる「タイタニック号の悲劇を起こしてはならない」のだから、何らかの手を打たねばならない。タイタニック号は、氷山があるとの警告があったにも関わらず、突き進んでついには衝突、沈没して多くの乗客が亡くなった、大変な悲劇だ。

どうにもならない、でもなんとかせねばならない! これってどうしようもない矛盾だ。

図-2

案	条件	案の内容	施策実現性	ワニの口評価
案−1	A, B, C	財政現状のまま	○	×
案−2	A, C	富裕税、消費増税	×	○~△
案−3	A, B, C	財政拡大	△	×
案−4	A, B	行政ニーズカット	×	○

A：GDPは現状のまま。B：その他の税制は現存のまま。C：行政ニーズは不変。
備考：「施策実現性・ワニの口評価」の2項目内に一つでも×があれば採用不可能

万一、何らかの解決策があるとすれば、「ワニの口が開くことを無視してよい」場合か、あるいは矛盾と対立を超える弁証法的発展がある場合か、ではないか。はなから無理と思わずに、素人なりに執念深く、トライしてみよう。

問題を解くには、まず財政法の構造を解剖せねばならない。

財政法は戦争の反省に立って定められた。骨子は「年度の収入を以て年度の支出を賄う単年度主義。建設国債以外の公債を認めない」こと。即ち、投資によって確実にリターンが見込まれる建設投資（建設国債）を認める以外は、借金を認めない。基本は無借金主義。

一九六四年開催の東京オリンピックの開催準備に要した臨時的出費は、本来は違法である「特例法」を制定して国債で賄った。これがまず、無借金、単年度主義を守れないスタートとなった。

それでも、わが国の人口構成が、クリスマスツリー状の人口ピラミッド時代は、比較的に財政法の運用は楽ではなかったか。時は幸せな人口ボーナス期である。人口ボーナス期には、草木が伸びるように税収（収入）も伸びるので、収入と支出のバランスをとりやすかった。

しかし、わが国の人口ピラミッドは次第に根っこが細く、上部がふくらんだ、逆三角形を示す、つまり、人口オーナス期になってきた。すると、老齢者を中心に従属人口が増加し、収入よりも支出の方が大きくなるために、必然的にワニの口が開いてしまうのだ。財政法の定める「公債を認めない」どころか、公債発行を前提としなければ予算が組めない。本来違法の特例措置が毎年のことなのだ。これでなければ恒常的にダメというのは、そもそもおかしくはないか。

ワニの口が開く不可避の事実は、老齢化する社会に対して、財政法は対応できていないことを物語っているのではないか。それでもなお、財政法を変えることなく、財政を圧縮して乗り切ろうとおっしゃるのだ。

筆者には、なぜ、時代に即応して法律を変えないのかが理解できない。

さて、日本社会が死ぬわけには参らない。しかし財政を圧縮すると死ぬのだ。でも事実上、圧縮はできない。矛盾と対立に満ちた話だ。制度が変わらない限り、あるいは超緊縮財政にしない限り、ワニの口は拡大する。次官の寄稿を読む限り、どういう状況になったら破綻したというのか、破綻した暁にはどうなってしまうのか、ゴールが示されていない。だから庶民はいよいよ理解に苦しむことになる。

実は、財政民主主義の建前から言うと、なにも財務省が苦しむ話ではなく、このままでは破綻しますよ、大丈夫でしょうか、と、立法府に御進講する立場であって、是非は国権の最高機関たる国会が判断すべきことである。財務省が事実上の決定権を持つがごとき態様ではなく、曖昧さを残さない意味からも基本に立ち返ることが立法府の役割ではないか。

●商品貨幣から信用貨幣に様変わりした貨幣

ところでこれまで「お金とはなんぞや」という根本を問うことなく、戦後から続く「お金の概念」のままで論じてきた。

思い起こしていただきたい。お金はある時より商品貨幣から信用貨幣に変わったことを。そう、一九七一年のニクソン・ショックだ。金本位制度の崩壊。つまりゴールドと貨幣の兌換性の停止。この時点から、お金の概念も性質もガラリと変わった。

長い間、お金は大判小判、つまりゴールドと等価だった。

仮の話、もし国民の皆さんが、「手元にある紙幣と、政府の金庫に保存されているゴールドと替えてくれ」と要求するならば、金本位制度のもとであれば、金庫のゴールドは空っぽになってしまうだろう。

こうなると日本という国の国際的な信用問題になって、円の格付けランクがガタ落ちするだろう。かかる事態を心配して、マスメディアはことあるごとに、累積債務を懸念する報道をくり返している。でも今やその心配はご無用。信用貨幣は、通貨発行権を有する主権国家、日本が判断して発行する。国民は国を信用するがゆえに、通貨としての機能、即ち、売買の決済や、減価することなき貯蔵や、価値尺度としての役割を全うしている。

筆者の疑問は、累積する「一二〇〇兆円を超えた公債等残高」に憂慮すべき中身があるのかどうか、その一点だけ。絶対矛盾のまま増え続けているのだが、痛くもかゆくもない事実は何を意味するのか。

一方で、開いたワニの口は、金庫から流出したゴールドの量を意味しているわけではなく、戦後からのしきたりである、単年度の公債発行額にすぎず、「公債発行」は、もしかしたら不要な手続きかもしれない。そして公債発行の市中消化を財政健全の証として惰性的に発行してきただけかもしれないと疑うこともできる。

さて、国債発行不可欠論に立つ、内部事情に精通している元大蔵官僚の高橋洋一氏でさえ、「新・国債の真実」（あさ出版）において、次のように異を唱えている。

誰がどのような利益のために財政破綻や国債暴落を主張しているのか。一つは財務省だ。

ただし、これは表では絶対言わない。こっそりと裏でいうのである。まず前提として、財務省は一貫して増税派と思っておいて間違いない。その理由は税金をたくさん集めて財政再建したいから、ではない。じつは増税すると財務省の予算権限が増えて、各省に対して恩が売れて、はては各省所管の法人への役人の天下り先の確保につながるからだ。驚いたかもしれないが、こうした思惑があるからこそ、財務省は「いつだってスキあらば増税したい人たち」なのである。なぜ増税が財務省の権限を増すことに繋がるのか。単純な話である。まず予算を実質的に膨らませることができる。増税であればその増加分は財務省のお陰となって、財務省はその分の予算配分をするとき、各省庁に恩を着せられるのだ。予算増の恩恵を受けた省庁は、その見返りに自分の所管する法人などに財務省からの天下りを認めてやる。この天下りは予算配分してもらった見返りであり、国民の血税が使われている。(引用、終わり)

「国が滅びても、財政規律が保たれてさえいれば、彼らは満足なんです。(中略)予算編成を担う財務省の力は強力です。彼らは、自分たちの意向に従わない政権を平気で倒しにきますから」(「安倍晋三回顧録」中央公論社)。となると、事あるごとに増税をちらつかせる政権は財務省からおおいにバックアップされることになる。

それはさておき、財務省としては人口ボーナス期には今日ほどナーバスではなかったのではあるまいか。早く、当時の心境に帰ってほしいが、いずれにせよ、庶民には分かりにくい話だ。

さて、様々な文献を当たってみると、財政をめぐって様々な見解が披露されている。国債発行自体が財政法違反であるとの見解、それは必要だけれども統合政府バランスシート上、問題ないとする見解、借金は借金なのでいずれ返済せねばならないがそれを以って緊縮財政路線に走るのは間違い、との見解、積極財政路線によってＧＤＰを成長させ、国力を大きくして政策選択の幅を広げるべし、との見解…。

問題は各々の見解が「平和共存」していて、いずれが正論か、国民には判断しかねることだ。その点、「そうせい候」と呼ばれた、長州藩藩主毛利敬親を見習うとよいだろう。大部屋に関係者一同集まって部下に徹底討論させ、議論が出尽くした頃合いを見て、老中が「これで結論いかがでしょうか」と藩主に問う。するとただ黙然と聴いていた藩主は一声「そうせい」と宣う。誰もが遠慮なく主張した結果なのでだれ一人不満なく従った。これは討論に、弁証法でいうところの「止揚」が働いた結果だ。

周知のとおり、長州藩は多くの人材を輩出してきた。徹底討論の精神が活きている証拠だ。鹿児島の郷中教育もそう。教科書を伏せて、議論に徹した。初代文部大臣森 有礼は「一秒でも速く着かねばならない時、お前ならどうするか」と問われ、「馬の尻に針をチクチク刺しながら走ります」と。いかなる状況が生じるか、判らない現実において臨機応変にベストの選択をする訓練だった。閑話休題。

最も素朴な貨幣及び財源に関する筆者の仮説にして試論を述べておきたい。

人間は持ち物を交換する知恵を持つ生き物である。人間は生産者であると同時に消費者である。物々交換はやがて複数間の取引ができるための共通の貨幣を生み出した。現在、発行者を信用するがゆえに融通する信用貨幣となっている。供給者（即ち、生産者）から需要者（即ち、消費者）へとモノやサービスが提供される度に、逆方向に貨幣が流れていく。

貨幣は、物品及びサービスを受けた対価、即ち、お礼として差し出すようなものである。供給能力以上の需要を創り出してはいけない。供給能力とは国力のことである。即ち、国力をオーバーする需要は創造してはならない。巷間、よく財源はどうするか、が、議論になるが、財源とは国力である。国力に見合う貨幣の発行が、ちょうど、需給がタイトになる付近である。貨幣の姿は紙幣であれ、コインであれ、電子マネーであれ、なんでも構わない。信用のためにすべて日銀を含む政府が供給する必要がある。

●電子化される貨幣

電子マネーもある時代。前世紀末ごろから飛躍的発展を遂げ、すっかり世の中を変えてしまったのが、インターネットなどのＩＴ（情報技術）とＡＩ（人工知能）。これが貨幣の在り方に影響を及ぼさないはずがない。そこで、他国の事例を含めて金の概念や機能に関する考え方の流れを見てみよう。

ネット情報によると、キャッシュレス大国スウェーデンの中央銀行では、同国の中央銀行デジタル通貨（ＣＢＤＣ）「ｅクローナ」を中心とするデジタル決済の推進を検討しているといわれている。中国では以前からデジタル人民元の普及を進めている。わが国の事例を二例挙げてみよう。合弁会社「まちのわ」は、筑邦銀行、九州電力、ＳＢＩホールディングスが出資して二〇二一年五月に設立された。傘下の筑邦銀行は、プレミアム商品券の電子化サービスを行っており、二〇二二年度では商工会などを対象に、三二件を発行。筆者が住む糸島市でもいとしまペイという名で発行している。鹿児島銀行はライバルの南日本銀行と鹿児島相互銀行の顧客にも開放して「ペイどん」という決済アプリを提供、スマートフォン決済ができるようになって資金が地域を循環するので地域の活性化に役立っているもようだ。

一九九八（平成十）年に施行された電子帳簿保存法は、二〇二〇（令和二）年の改正で、キャッシュレス決済の際に受領できるデジタル明細を所定の方法で保存することで、領収書を受領・保存しなくてもよくなった。デジタルデータの利用明細が領収書の代わりになった。キャッシュレス決済における証憑処理が、完全ペーパーレス化ができるようになった。マネーが電子化されたのである。

お金の概念も機能も技術の進化に伴って変化してきた。貨幣発行の在り方についても、従来通りでよいか、特に、電子マネー発行に際しても国債発行という古典的手法が必要なのかどうか、検討する余地がありはしないか。

●財政法の変遷

次の一文では、財務省のスタンスの変化を読み取ることができる。七十年を迎えた財政法制定過程と国会での議論（企画調整室・調査情報担当室 藤井 亮二）には新憲法制定時のことが余すところなく述べられている（出典：経済のプリズムNO165・二〇一八・二）。以下は、膨大な著述の一部である。

財政法は財政処理の基本的原則を明らかにした。第一章に財政総則を置き、①公債や借入金を財源としてまかなうべき経費を公共事業費、出資金及び貸付金のように生産的又は資本的なものに限定して健全財政の原則を確立する。②公債発行について日本銀行が引き受けると財政インフレにつながる恐れがあることから、日本銀行の公債引受けを原則禁止する。③日本銀行の国債引受禁止＝財政法第5条は、戦前、戦中を通じて大量の公債発行が日銀引受によって行われ、激しいインフレを引き起こしたことを反省して規定されたものである。

この規定の下、平成二十五年（二〇一三年）三月に新たに就任した黒田東彦総裁の下で、日本銀行は同年四月、金融政策決定会合において量的・質的金融緩和の導入を決定した。これは対前年比で消費者物価上昇率二％の物価安定目標を実現するために、マネタリーベース（日本銀行が供給する通貨の量）や長期国債・ETF（上場投資信託）の保有額を二年間で二倍に拡大するなどを内容としている。この結果、日本銀行・資金循環統計によると、平成二十九年（二〇一七年）九月末時点の日本銀行による国債保有残高は四一三兆四一七七億円であり、国債発行残高九七八兆五九八二億円の四〇・二％を占めている。量的・質的金融緩和を導入する前の二十五年三月末時点の日本銀行による国債保有残高 九十三兆八七五〇億円に比べると、この四年半の間に四・四 倍に拡大したことになる。

しかし戦後七十年以上にわたって、財政法が我が国の財政民主主義を支えてきたことは否定できないであろう。社会構造の変化とともに、財政に求められる役割も今後変化していくかもしれない。しかし、国政と一体の課題である財政問題を考えるに当たっては、財政法に貫かれた基本原則を常に意識していかなければならない（引用ここまで）。

〝日銀による国債引き受け〟という禁止条項が吹き飛んでしまって久しく、〝歳入歳出の年度完結の原則〟は破綻していること。そして、財務省が貨幣機能の変更に伴う財政法の見直しをも是認した発言ではないかと思われるのだ。しかし、当局は、〝何か〟が起こることを恐れている。それはタイタニック号の悲劇の再現だ。しかし、そもそも公債を発行しない前提となると、国が破綻することはないしタイタニック号の悲劇は起こりえない。

これまでの借金は返済せねばならないが、まずは、積極的に財政支出を行って十分な経済成長を遂げ、しかるのち、ゆっくり返済すればいいのではないか。あるいは、可能性として考えられるのは、キャンセレーションだ。ＯＤＡではしばしば行っている、いわゆる借金の棒引き、請求権放棄だ。これで巨額の借金はチャラになる。多分、そのことで、何も、誰も、困らない。

財政法には諸種の禁止事項がある。それは、戦時中の借金による戦費調達が、敗戦直後のハイパーインフレションとなってお札が紙切れになった苦い経験からきている。しかしながら、現在もその思想でやっているということは「羹（あつもの）に懲（こ）りて膾（なます）を吹」いているのではないか。もし、コントロールする別の手段があればその必要はないのではないか。

何としても貨幣に替わるものを発明したい。なぜならば貨幣発行に著しい制約がかかると、少子化対策が中途半端に終わってしまいそうだからである。ここは蛮勇あるのみ！仮に現行手法はそっくりそのまま行うとして、別途、新システムの、新たな貨幣を発明できないだろうか。あるいはすでにあるのかもしれない。クレジットカードは十二分にその機能を果たしている可能性がある。カードを差し込み、暗証番号を押すだけで瞬時に、遠隔地にお金を移動させることができる。即ち、政府が発行する電子マネーによって、本来の通貨に要求される機能を社会に提供しているではないか。要は、検証されていないだけではないか。

電子マネーとは言え、当然、政府のＤＮＡは埋め込まれていて、いつでも紙幣や補助貨幣と交換できる。くり返すが、電子マネーは完全に旧来の通貨機能を有しつつ、かつ旧来のそれを超えている。国庫から金銀が流出することもない。よって、公債の新規発行も不要のはずだ。

唯一、気がかりなこと、それはわが国の電子マネーが、海外勢などの何者かによるサーバー攻撃にさらされ、掠奪されたり流通を阻害されたりするリスクだ。これをクリアしなければすべての電子マネーはパーになる。

●スーパー貨幣・トラマネ（仮称）の創造

素人の試行錯誤を終えて、なんとか、無借金による貨幣機能を誕生させ得たのではないだろうか。

これまでなし崩し的に電子マネーが導入され、制度化され、発展的に社会に浸潤してきたわけだが、ここで一区切りする意味で、あらためて、新しい概念として電子マネーを定義し、かつ、その可能性について考察してみよう。

ここでは従来の貨幣を超えた、という意味でスーパー貨幣、Transcendent money、即ち、貨幣を超えた貨幣という意味でトラマネと称しておこう。なにも奇想天外なものが生まれたわけではなく、トラマネは国債発行を前提としないだけでのことであって、このことを除けばすでに実現していることである。

あらためて、その貨幣を再定義すると以下のようになる。

まず発行者が政府であって、そのＤＮＡが埋め込まれていること。次に、貨幣の機能、即ち、商品交換の際の媒介物（＝流通手段）、価値尺度、価値貯蔵、この三つの機能を有すること。次に、インフレやデフレといった、価値変動に対応する制約のもとに発行されるべきこと。国が有する生産力の範囲（先に述べた国力）、言いかえれば市場供給力の範囲で経済を回すように、発行量は調節されていること、以上である。

トラマネは、電子マネーであって、数字を伴う記号でしかないので、どこからも借金する必要はない。現に、現在の経済や日常生活の一定部分を担っているのだから、旧来の貨幣に替わって大々的に運用することができる。そうなると、公債発行はもはや不要であって、いわゆる財源という言葉は死語になるだろう。国力を存分に活用していないがゆえに、長年、デフレを経験してきたのだから、今度こそ、国力に余力ある限り、インフレを引き起こさない程度、即ち、過熱しない程度（従来、政府は二%を目標としてきた）に発行し、堂々と、必要なだけ与えて不本意未婚者らを救済すべきだ。この際、従来の貨幣とは別種の貨幣体系として認識した方が、万人には納得しやすく、新規に法の下に決定すべきと思われる。

貨幣と経済の循環の関係を、筆者は次のような現象論として説明を試みたい。

点と点から線、線から面、面から立体へと無限に広がる三次元、時間を入れて四次元の世界を、供給する者から需要する者へと一定スピードで「物資及びサービス」が移動する。その逆の流れが「貨幣」である。貨幣が媒体として機能しなければ円滑なそれは起こらない。貨幣は信用されねばならない。そのことは政府という信用される者によって供給されることで達成される。信用の裏付けを従来は公債が担ってきたが、本来、その必要はない。

●貨幣発行量は国力の範囲で

貨幣発行量が「経済熱量」に比して多ければインフレ、少なければデフレに。「経済熱量」とはここだけの造語で、日本が有する「生産力」（＝「市場供給力」）のこと。発行量の多寡の判定は、従来通り日本銀行が行えばこと足りる。

この静かな貨幣革命は庶民になんら影響を及ぼさない。従来通り、受け取り、貯蓄し、消費すればいい。

かかる貨幣であれば、次の失業者対策が直ちに可能となる。

以下は「貨幣と国債、あるいは少子化対策」（山﨑好裕）からの引用である。

アメリカの経済学者、ハイマンミンスキーの弟子に、L・ランダール・レイがいるが、レイはケインジアン左派に属する経済学者であり、歴史的に高失業率のアメリカで、完全雇用を達成するための積極的財政政策を、当時から一貫して訴えていた。彼の主張は政府を「最後の雇い手（employer of last resort）」と呼ぶ極端なものである。つまり、一般企業を解雇されたり、就職できなかったりして失業している労働者は全員、政府によって最低賃金で雇用される。不景気にはこの政府雇用者プ ールは増大するが、景気が回復するとこの労働力プールから民間へと労働者が放出されていく。批判者はこの財源をどうするつもりか、とレイに迫ったが、レイは政府紙幣を発行して賄えばよいとした。レイの世界では大量の失業者が存在している。失業者が存在しなければ、貨幣量が増加して需要が増加しても雇用を増やせず、生産が増大しないので、供給不足からインフレーションが発生せざるをえない。だが、失業が存在すれば、需要の増加は雇用の増加と生産の増大につながり、需要に供給が追い付けるのでインフレーションにはならない。これがMMT＝「現代貨幣理論」のすべてである。（以上で引用終わり）

このことを実施していれば就職氷河期やその後のひきこもりという、悔しい後遺症もなかったはずだ。

●信用貨幣となって以降、国庫から金銀が流出することはない

貨幣の流通は様々な形を取る。振出しは、政府系が、各省庁、自治体、民間機関等の通帳に「XX円」と書き込むだけ。それがツリー状に配分され、その末端は、電子的に処理したり、紙幣で受け取ったり、百円玉コインでお釣りを受け取ったりできる。受領した人も同じ処理をする。モノやサービスの流れと逆方向に貨幣が流れていく。それが経済だ。外食代をクレジットカードで払う。電子的な数値がカードから差っ引かれ、相手の帳簿にはプラスされる。大判、小判が流れ出したわけではない。拡大したワニの口は、そもそも誰からの借金でもないのだから、「ワニの口論」は無意味になった。実は、金本位制が崩壊した時点にそうなっていたのである。増税こそしなかったが、旧大蔵省の進言を真に受けて、ワニの口を閉じようと必死になったのが小泉内閣。長期にわたるデフレの引き金になった。島倉 原氏提供の図‐4を参照されたい。

国庫から金銀が流出することはないとなると、ワニの口の借金とはどんな意味があるの

か。

貨幣も、借金も、もはやゴールドではない。信用貨幣が多め（？？）に発行されているというだけのこと。多め、といっても実のところ、長期化するデフレのもとではそう言っていいかも疑問だ。

もし、信用貨幣が与信によって「お金」の三つの機能を果たせた上で、発行額が適正な範囲にあればそれで十分。多すぎればインフレ、少なければデフレを招くだけ。水道の蛇口にたとえると、水量を適正に保てさえすればいいのだ。筆者が提案したい蛇口管理の要諦は、国の有する生産力の範囲、言いかえると、市場供給力の範囲で、ということ。それをオーバーする通貨の発行は、通貨の価値を下げてインフレを、逆はデフレを招き、貨幣に求められる三つの機能を果たせなくなる。

なお、政策的にトリクルダウンを発生させることも可能だ。まず国会が財政支出の量と中身を決定する。予算の執行過程で、その内容相当の市場供給力を占有する。たとえば、従来を倍する建設機械が発注される必要があるとしようか。すると当該産業界は特需景気に沸くことになる。と同時に、網の目のような部品供給の産業が受注品を生産するべく特化して（その間、他からの注文は断ってしまってでも）稼働する。財政が求める物品が農産物ならば、地域的には農村が潤うことになるだろう。工業製品を輸出する代わりにバーターで、農産品を輸入するならば、当然、農山村の仕事が縮小して山村は寂れてしまうだろう。

令和五年現在、自民党内は、積極財政派と財政規律派の深刻な抗争の真っ最中。この対立が純粋に未来日本のための理論闘争であるとしようか。であるならば、この対立は止揚されねばならない。すると、新しい理論が確立され、国家は「ワニの口」論争、及びプライマリーバランス問題から解放されることとなろう。結果、内閣の政策運営の自由度が飛躍的に向上することになる。おまけは、増税せずとも財政支出ができるということだ。

実は、ＭＭＴ（現代貨幣理論）がそうなのだ。最初にそれを言ってしまうと、虎の威を借りる格好になってしまい、知らない人には何かなんだかわからない。ずいぶん手間暇かけて説明したが、急がば回れ、こちらがわかりやすいのではないか。

●求められる正のスパイラルアップ

国力に余裕がある場合、即ち、市場供給力に余裕がある場合には積極財政が功を奏する。財政法第四条の建設国債条項は、投資によって、それ以上の便益が見込まれる場合に認めようということだ。集中豪雨による被災量は年々拡大することが確実であり、災害復旧経費の拡大も確実である。ゆえに、事前の防災事業によって災害を減らす方がトータルとしては安上がりになる。よって集中豪雨災害にも建設国債を充当して事前防災に努めるべきだ。激甚災害指定を少しでも減らすことも大切であって、毎年くり返される悲惨な光景は、あってはならないことである。

次の事例は、災害復旧よりも事前の防災投資が数十倍も安く、被災額もゼロ化することの一例であって、大いに参考になるだろう。

二〇〇五年、米国ルイジアナ州を襲ったハリケーン・カトリーナ。堤防が未完成で、予防に要する費用は約二十億ドル（ほぼ二千四百億円）、それがなされない場合に想定される被害額の見積もりは一千億ドルと人命十万人。ゆえに、事前投資が効果的、と陸軍工兵隊は主張していた。しかし、イラク戦争のあと連邦予算が削減され、治水事業の一部が滞った結果、災害が発生。被害総額は、案の定、見積もりの六二倍強の千二百五十億ドル（ほぼ十五兆円）となったというもの（国連・国際防災戦略記者発表資料）。

第三章‥‥老化・劣化・沈下する日本

本章の骨子

真新しかった戦後基盤は、しかしながら老化・劣化している。時代にそぐわないという意味よりも、原理原則がへし曲げられている、その様を明らかにせねばならない。劣化、沈下の進行は、わが国にとって破局的なことであり、少子化の遠因ともなっているようだ。まさに日本の正念場。総力戦で解決に当たらねばならない。信頼するに足る基盤（法制度）があってこそ、国民生活は健全になるはずだから。

本論に入る前にそれぞれの言葉の関係を説明しよう。老化は人口面から説明できる。戦後、しばらくは、人口ピラミッドがクリスマスツリー状をしていた。それが今や逆三角形になってきた。それを促進しているのが少子化だから、これを回復する見通しを立てないと、究極的に日本という国は滅んでしまう。

劣化というのは簡単には説明できないが、カテゴリーとしては教育分野など広範に及ぶ。

原因の一つは制度疲労が挙げられる。また、劣化の原因の一つに公の私物化など根深い問題があるので十分な吟味を経て対処方針を立てなければならない。

沈下は、経済関係データの国際比較から説明できる。

人口の老化については前章で述べたので、ここでは劣化を中心に論じよう。三者の関係は、結局、老化と劣化の結果、沈下が生じ、なお進行中である、ということになる。それらの進行は、わが国にとって破局的なことであり、まさに日本の正念場であるから、総力戦で解決に当たらなければならない。

その際、政治の役割は三つあって、国民に希望を与えること。向かうべき大きな方向性を示すこと。思想信条の相違を超えて、日本人全てにスクラムを組ませること。それが唯一の日本苦境脱出の処方箋と考えている。

まず、日本の沈下に関する現状を数値で見ていこう。

一つ目、一九九七年〜二〇一八年、労働者の時間当たりの賃金は主要国が軒並みアップする中で、日本だけがマイナス八％へダウンしている。（日本：八％ダウン、米：八二％アッ

プ、英：九三％アップ、独：五九％アップ、仏：六九％アップ（名目賃金。ＯＥＣＤ調査による））

二つ目、青少年の満足度（十三歳〜二九歳）は極めて低い。また自国の将来に対して日本の若者は悲観的。「自分に満足している」（日：一〇・四、米：五七・九、英：四十・〇、仏：四二・三、独：三三・〇、韓国：三六・三（各％）

「自分には長所がある」（日：十六・三、米：五九・一、英：四一・七、仏：三九・五、独：四二・八、韓国：三二・四（各％）

「自分の国の将来はよくなると思う」日本：九・六、米：三〇・二、英：二五・三、韓国：二二・〇、独：二一・一、（中国：九六・二）、（各％）（日本財団二〇一九年、一八歳意識調査による）

なぜこうも情けない数値が並んでいるのだろうか。その結果、バーゲン・ジャパン「世界に買われる安い日本」が起きている。日米の金利差で円安が進行し、その上、海外ファンドなどの割安感による爆買いが進行しているようなのだ。さらに遠因に何があるか、戦後史に、その理由のヒントが得られはしないか、垣間見てみよう。

●暫定措置の矛盾を抱えたままの戦後出発

昭和二十年発八月十五日、日本は敗れた。玉音放送に泣き崩れたのはその日だけだった。翌日から立ち上がり、国土の復興にかかった。ゼロからの出発。飢えとの戦い、闇市、浮浪者、戦災孤児…。「♪赤いリンゴにくちびるよせて～♪」、「こんな女に誰がした～～」…。山手線のガード下には米兵相手のパンパンが列をなした。

戦後五年目、朝鮮戦争は特需景気をもたらした。戦後十一年目、経済白書は高らかに「もはや戦後ではない」と宣言。戦災復興というアクションが、住宅・道路建設など有効需要となって玉突きのように投資の循環が起きた。奇跡の高度成長路線が敷かれ、世界が目をみはった。昭和三十四年、戦後十四年目にしてオリンピックの東京開催決定。十九年目開催。これまでの驚異的復活と経済成長のすごさを野球にたとえていうなら、打球は天井を突きやぶり、世界の観客はぽかんと口を開けて見上げているほどだったのだ。

二十年が経過し、四日市ぜんそく、イタイイタイ病など、高度経済成長の歪みがあらわになり、徐々に陰りが生じてきた。戦後のピークは東京オリンピック、時を同じくして、復興と成長を牽引した戦前派は引退のときを迎えていた。二代目となった。

戦後処理はもっぱら連合国、事実上アメリカが担った。GHQは日本史を黒塗りした。この時日本に大断層が生じた。GHQの意に添わぬ記事はボツにされ、企業の存続を優先した大手マスメディアは欺瞞に満ちた記事さえ書いた。真実は国民から隠ぺいされた。原罪意識がメディアに刷り込まれ、今もって亡霊のように彼らを悩ませているようだ。こうしてGHQの諸改革は一世紀余にわたって禍根を残すこととなった。

西ドイツは、東西ドイツが統一されるまでの間、憲法を暫定法とした。わが国の憲法は国民的議論をスルーしたという意味で暫定法だ。

矛盾した体系のまま、二代目三代目へと引き継がれた。やがて前例主義が横行し始める。人材発掘の努力は忘れられ、地盤、看板、鞄を持った事実上の地域の殿様が世襲政治をおこなうこととなった。

人財の上下の対流が失われ、今太閤の誕生はむつかしくなり、勝組たちの固定化が進んだ。上に行ける環境に生まれ落ちさえすれば、少なくとも食うに困らなくなった。

八「ジャパンアズナンバーワン、なんてなつかしいな〜。あれ言われてのぼせたんだよ」

熊「いい気になって！　思い出したぞ。いつだったか、台湾の総統が、訪日した折、上空から日本を見たそうな。その時、爪でひっかいたように森がやられている。ゴルフ場の乱開発だ。見てて、日本の将来が左巻きになるならこれじゃないかって思ったらしいんだ」

八「そう。電車待ちの寸暇を惜しんでスイングの練習をしてたもんな。やらん者は麻雀だよ。自民ルールってすごかった。ピンフで上がってもドラドラドラ…十本の指では数えられなかった」

熊「そういうマインドが蔓延したんだよ。高度経済成長の成功体験が尾を引いて…」

八「国会答弁も、何かといえば、前例がございませんってなっちゃった。まるで法律だよ。法律を定めるところが、前例、前例だよ」

熊「そうそう、そんな風潮、やがて落ち着いて、上、中、下、二重三重の固定層が生じた」

八「ちょっとむつかしいな。一番上の権力は腐敗するってことか」

熊「そう。公私混同が起こる。組織防衛に走る。政権の維持が目的化する。「倦み」が深まり、死臭漂う倦怠の時代となった。平たく言えば、三代目は身上をつぶしたんだ」

八「局あって省なし。省あって国なしっていくらなんでもオーバーじゃないか」

熊「いや、ちっとも。それどころか、万年与党は勝ち組層の利益マシンとなっちまった。悪名高い『新自由主義』を無批判に受け入れ、経済的弱者層を放置した。そいつら複合要因の結果だな。迎えるべくして迎えたのが、過ぎたる少子化による日本消滅の危機だよ」

八「切り捨てられた弱者層は憤懣のやり場がない。政治にボイコットされている」

熊「そうそう、俺なんか社会に不要な人間だ、なんて思い込んじゃった。最後は一人でやれるテロリズム！」

熊「ん～～ん。物騒な世にしたもんだな、政治は。支持層のためだけにやっている」

八「驚いたな。マインドコントロールによる日本支配の魔手が伸びていたなんて」

熊「知らない間に大変な搾取が行われていた。その被害者の凶弾に倒れたのが安倍元総理ってわけだ」

八「公権力における、個人の、組織の、私物化が進行してる。ヤバイよ。たのむから、大志を抱いてくれよ。政治は」

熊「大東亜戦争より七十五有余年、戦後体制はここまで劣化してる。判っているのに放置している」

八「沈下どころじゃない。これ以上、腐敗臭だけは嗅がせないでくれよ」

●縮小国家への軟着陸の困難性

熊「この前、知り合いが言ってた。久しぶりに出会った友人に、お宅の長男さん見かけないけど、って訊いてみたんだと。そしたら、いや、東京の大学に行ってますって。それで聞いたんだとさ。なんちゅう名の大学かって。そしたら、いや東京の大学だって。だからなんちゅう名前の大学だよ。いや、それは知らねえ、とにかく東京の大学だって」

八「で、現役で受かったんだろう。すげえことじゃないか。かつては四当五落とか言って、徹夜で頑張ったもんだが、今だって狭き門があって当然だ」

八「あのころ、十八歳人口は増えるし進学率も高まった。何もかも拡大を前提としてたわけだ。それが現在、縮小過程にある。どうなっちまった？」

数日後。

熊「読んだよ、あの本『Ｆランク化する大学』（音真司著・小学館新書）に書いてあったぞ」

「教室の後ろからモップが飛んできました。モップって掃除用のモップですか。はい、掃除用のモップです。私が黒板に板書きをしていましたらね、テメーの話は分らねえんだよーって、飛んできました。それで先生、どうされました。もうね、何も言いません。ムダなのですよ、相手にしても」(引用 終わり)

八「やっぱりね〜。Fランク大学って言うんだよ、それ。フリー入学のことだからFなんだ。どんなボンクラ頭でも入れてもらえる。しかも、二次募集、三次募集までやってる」

熊「何でそんなことになっちゃった?」

八「サバイバル作戦だよ。大学の。学生数はへる。新設大学は基準をみたせば認可される。空席はふえるばかりだ。面白くねえから退学するとしようか。するとまともな就職活動から外れてしまう。なんとか就職したって非正規職員なんだ。そういう学生が一杯いるらしい」

熊「先生へのお給料も払わねばなんね。大学だって営業なんだよ。教育の理念とか哲学とか言ってられね。大変な問題だ。考えてもみろ。これって縮小過程の国家のあり方ってテーマだよ」

八「箔をつけるために大学を出ようとか、意味ないんだけどね～」

熊「モラトリアムじゃないのかね～、人生の。なら世界一周くらいやったらどうだい。国費でもかまわんぞ。それが目覚める最良の薬だよ。きっと」

八「人生行路は自由に選択できるんだから、このメリットを最大限生かして、生涯を悔いなく…」

熊「そうそう。でも、与えられた自由だからなのか、ありがたいとも思っちゃいねぇんだ」

八「専門学校で実技の一つでも身に着ける手もあろうし。一芸は身を助けるんだから」

熊「問題の一つは、大和魂がなぜここまで荒廃したか。根深いぞ」

●三つ子の魂と自然体験

「三つ子の魂、百まで」という。長く生きながらえた諺には真理が宿っている。三つ子の魂は間違いなく生涯を支配するのだから、幼少のころ何を体験するかが極めて重要だ。

独立行政法人国立青少年教育振興機構の青少年の体験活動等に関する実態調査（平成二六年度調査）によると、自然体験を多く持つ者ほど自己肯定感が高くなり、道徳観、正義感があるという傾向が見られる。

たとえば、五段階に分けて、「自己肯定感がある」は、自然体験最少の者が五・四％に対し、最大の者二三％、道徳観・正義感についても、十二・一％に対して四八・二％である。類似調査は多く、これらの調査結果は、文部科学省関係団体の諸調査に報告されている。ちなみに某調査での道徳観、正義感とは、あいさつをする、悪いことをやめさせる、席をゆずる、と答えた者となっている。

一方で、大手回転ずしスシローで、備え付けの醤油ボトルの注ぎ口をなめる、未使用の湯呑みをなめ回す、あの若者たちは平和ボケの象徴だ。だからこそ、真の平和は遠ざかっていく。見ていて、こんなに腹が立ったことはない。

かつてウズベキスタンのナヴォイ劇場を訪れたことがある。ソ連の捕虜になった日本兵は合計六十万人とも言われ、多くはシベリアなどで森林伐採、道路・鉄道建設に従事した。その中から建築作業に適した工兵四五七人が選ばれて強制的に派遣された。筆者が現地で聴いたところ、日本人として恥ずかしくない仕事をしよう、という合言葉でもって、誠心誠意、仕事をした。一九六六年四月二六日のタシュケント地震では、七万八千棟の建物が倒壊するもナヴォイ劇場は無傷であり、市民達の避難場所としても機能した。手抜きなき完璧な仕事であったことを証明して余りある。この方々の奉仕の精神のお陰で今があることを忘れてはならないと思った。が、それにしても祖国を想うお気持ちはどのようなものだったのだろうか。これは、現地の在ウズベキスタン・孫崎亨大使に直接お聞きした話かもしれない。

●日本統治は朝鮮の啓発に寄与したか

「裏切られた自由」は第三一代アメリカ大統領ハーバード・フーバー（任期は一九二九年から三三年）が第二次世界大戦の過程を詳細に検証した回顧録で、膨大な文章が上下巻、二冊に分けて述べてある。本書の下巻より、朝鮮における日本の植民地時代の一部を引用する。

朝鮮は記録では二千年の歴史がある。統一王国ができたのは六六九年である。何世紀にもわたって朝鮮は中国に従属した。一八九五年、清との戦いに勝った日本は、朝鮮の清国からの独立を確保した。十年後の一九〇五年、日露戦争の戦勝国日本は朝鮮を軍事的に占領し、一九一〇年に正式に合併した。日本の占領は一九四五年八月の日本の敗戦で終わった。

私（フーバー）が初めてこの国を訪れたのは一九〇九年のことである。日本の資本家に依頼され、技術者として助言するためであった。当時の朝鮮の状況には心が痛んだ。人々は栄養不足だった。身につけるものも少なく、家屋も家具も粗末だった。衛生状態も悪く、汚穢が国全体を覆っていた。悪路ばかりで通信手段もほとんどなく、教育施設もなかった。山にはほとんど木がなかった。盗賊が跋扈し、秩序はなかった。

日本の支配による三十五年間で朝鮮の生活は革命的に改善した。日本はまず最も重要な秩序を持ち込んだ。港湾施設、鉄道、通信施設、公共施設、そして民家も改良された。衛生状況もよくなり、農業もよりよい耕作方法が導入された。北部朝鮮には大型の肥料工場（朝鮮窒素肥料）が建設され、その結果、人々の食事事情はそれなりのレベルに到達した。日本は、禿山に植林した。教育を一般に広げ、国民の技能を上げた。汚れた衣服はしだいに明るい色の清潔なものに替わっていった。朝鮮人は日本人に比較すれば、管理能力や経営の能力は劣っていた。このことが理由か、あるいはもっと別の理由があったのかは確かでないが、経済や政治の上級ポストは日本人が占めた。一九四八年、ようやく自治政府ができた。しかし朝鮮人はその準備がほとんどできていなかった。（以上、引用終わり）

欧州の搾取型植民地政策とどのように違うのだろうか。日本の版図の拡大の意図はあったにせよ、日本の社会をそっくり持ち込んで、民生のレベルアップを目指したのではあるまいか。即ち、日本化だ。フーバーの観察だけで支配の全貌はわからないにせよ、少なくとも、民の扶助（公助）に寄与してきた側面は認められるのではないか。右事実の確認が何かを変えるかもしれない。その期待もあって紹介した次第だ。

●私を去ってこそ大志は成就する

総理・総裁を争う者は、当選後に実施する政策の所信表明を行う。

総理・総裁に選ばれた者は、立候補時点の所信＝国民への約束ごとを全身全霊、実行しなければならない。政権の座を掌中にした者は、私（し）を持ち込んではならない。例えば身内の扱いに関することである。公約を安易に反故にしてはならない。

そういった一般原則があるのだから、キリスト教国ではバイブルに手を置いて宣誓する。しかるにわが国では、厳粛な宣誓の儀式が見られないのだ。あるいは戦前であれば、天皇への誓いであったかもしれないが、現天皇は内閣の助言に従うだけとなっている。では、当の、内閣は誰に誓い、誰の承認を得るのか。責任の所在は曖昧でバイブル役は不在のままだ。

図-3

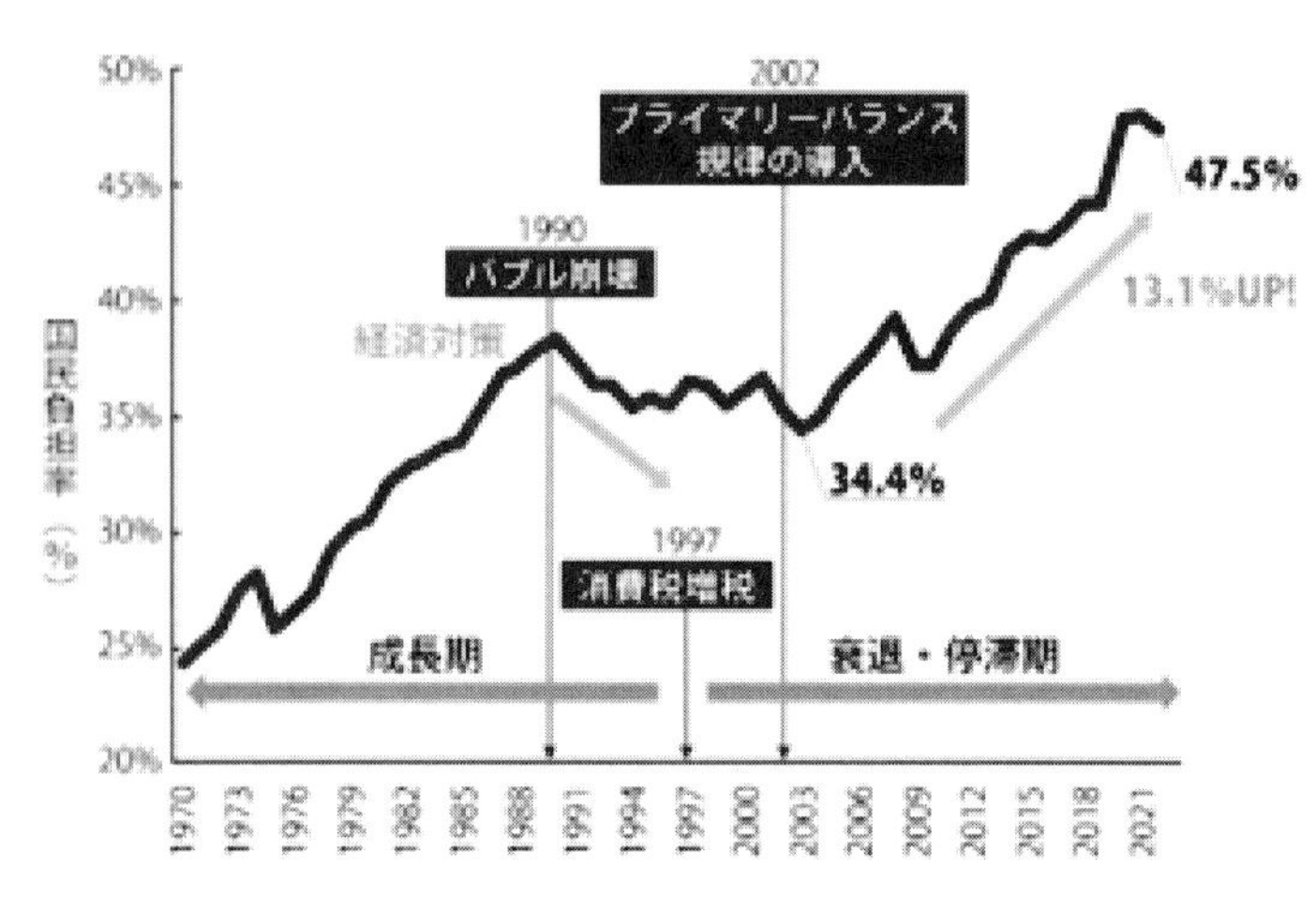

●官僚のおぜん立てのまま

二〇二三年四月四日の参院内閣委員会で、岸田総理大臣の、人事、政策、一挙手一投足まで黒幕官僚のおぜん立てのまま、との実態が暴かれた。空疎だった新しい資本主義宣言、大臣の特定個人の任命などことごとくそうで、総理自らの判断は皆無で、おぜん立てにしたがうだけ、というもの。

加えて、新規に財源を求めようとすると、いきなり増税を当てにして国民から搾取しようとしてきた。その過去からの累積値が、図-3の国民負担率だ。

藤井聡・京都大学教授の説明によると、現在、国民負担率は、「五公五民」と呼ばれてしまう程に高い。国民負担率とは、国民所得に対する税金と社会保険料の合計値の割合であって、現在五十％に近く、我々が働いて手にしたおカネの半分が税金や社会保障に差し引かれることを意味している。「高い年貢を取り立てる過酷な江戸幕府」ですら「四公六民」が一般的であって、「五公五民」になると一揆が頻発する高率であったという。国民が窮乏化し、国庫が富者になるのにいかなる意味があるのか。だからこそ先述の貨幣革命が必要なのだが…。

●地盤・看板・鞄の世襲化

私のパソコンには、日々の出来事や感想が洪水のように飛び込んでくる。例えば、引退を表明した政治家のＫ氏が、このあたりで息子に譲りたいと発言。これに対して批判が殺到。

このあたりで息子に譲りたいって戦国時代か。選挙区はあんたの領地じゃないよ。議席は国民のためのものだ。私物化するものではない。親から地盤、看板、鞄をもらい、息子に譲るなどと言い始めるものに、日本という国を委ねる政治家の資格はない、などと激しい怒号が飛び交った。

右を聞いて、どうしても次に触れたくなった。

孟子曰く、「天の将（まさ）に大任を是（こ）の人に降（くだ）さんとするや、必ず先（ま）ずその心志を苦しめ、その筋骨を労せしめ、その体膚を飢えしめ、その身を空乏（窮乏と同じ）にし、行うところそのなさんとする所に払乱せしむ」（天がある人に大任を授けようとするときは、必ずまずその人の心身を苦しめ、窮乏の境遇に置き、なにを行っても、すべてその人のなさんとするところに逆行するような不如意をわざわざ与えて試練する)。

西郷隆盛は若い日、奄美大島に役三年、徳之島、沖永良部島に役二年の流罪となった。この逆境なしに、彼は天下の西郷たりえたか。「棟梁の材は沃野に生ぜず」といわれる。風雪に耐えてこそ大志は育つのだ。今日、かかる人財を、草莽の中から発掘できるシステムになっているとは思えない。

●理念なき改革の末路

現代社会の意思決定者にとっての命綱は情報である。情報収集拠点をつぶすことを政治は行った。

ひとつだけ例を挙げよう。一般社団法人「国際建設技術協会」は、英、仏、独政府の建設インフラ担当部局や民間企業との情報交換のために、パリに欧州事務所を置いていた。目先の近視眼的な経済評価のみで、存在価値を追及されて解体され、二〇〇八年（平成二十年）、（北京事務所とともに）閉鎖されることになった。

欧州事務所の守備範囲はヨーロッパのみならずアフリカ、中近東を含んでいたが、それら専門分野の情報収集は在外公館の本務ではなく、そのエリアの情報が途絶えることになった。

果たしてその改革理念は正論であったのか。遠からず始まるであろうウクライナの戦災復興支援には、わが国も参加を求められるであろう。その際、現地の状況及び周辺国の動向を把握する必要がある。前述協会は、そのための情報収集で極めて貴重な役割を果し得たであろう。こうして情報を絶たれた損失は計り知れず、政治による理念なき改革は、マイナスの効果として結実していると言わざるを得ないのだ。

●邪論流布による世論支配

邪論を流すことによって正論が広がらず、選挙民が洗脳され誤った選択をしている。まず「公共事業は談合の温床である、よって公共事業は悪である」。これが邪論であることを説明しよう。

社会資本整備と執行システムを混同している。長い間、公共工事の入札では価格競争を強いられ、たたき合いを避けるために談合が横行した。そもそも未来にしかない（建設工事という）商品を、一円でも安い入札者が受注するという価格競争は市場の失敗（market failure）の範疇に属し、会計法的にも矛盾なのだ。建設して三十年、五十年の風雪に耐えて初めて真価が明らかになるわけだから、その時点で、受注価格の妥当性が評価される。そこで、この矛盾を解くのが、「公共工事の品質確保の促進に関する法律」（品確法と略称）で、価格と技術、双方を評価して落札者を決めることになってようやく正論に立ち返った。

なお、ここに至るまでの建設業バッシングは壮絶だった。建設産業団体を支持基盤とする国会議員は、マスコミに尾行されるなど、普通に街を歩かせてもらえなかった。いったたい誰が、どのような意図をもって、しかけたことなのか、当時、黒幕は見えなかった。
そのころ、地方の中小・零細建設業を中心に倒産が相次いだ。全国展開する某大手建設会社が倒産した時、拍手喝さいした国会議員もいたが、黒幕なるものの意図を真に理解していたか、甚だ疑問である。

「その方の遺書を拝見したのですが、仕事はもらえない、もらうにはダンピングしなければならない、さらに金融機関は融資してくれない、にっちもさっちも行かなくなって自分がかけている生命保険一億三千万円を当てにして命を絶ったんです。そして保険が入ったら、まず社員に給料を払ってやるように、またできるだけ下請け業者に迷惑をかけないように、と書かれておりました。」(「今こそ元気を出せ建設業」脇 雅史著 建設人社)。なお、著者の脇氏は参議院議員時代には上述法律の制定に、また、受注産業の永年の宿願であった片務性の是正に尽力された方でもある。

二つ目はこうだ。国の借金が天文学的になって、このままでは「財政は破綻する」。したがって緊縮財政は、善、かつ、身を切る改革は善である。

邪論の根拠、日本が長期デフレに陥っている原因が緊縮財政であって、その結果ＧＤＰはゼロ成長に陥り、絶対的にも、他国に比しても、国家の沈下を招いてきた。それを表したのが、島倉原（はじめ）氏より提供いただいた図-4だ。内容は次を表わしている。即ち、財政支出拡大に積極的な国ほど経済成長する一方で、緊縮財政で成長した国は存在しない。このことを理論的に解き明かした氏の著書「積極財政宣言：なぜアベノミクスでは豊かになれないのか」の出発点になったグラフだ。

長期にわたる緊縮財政によって国力は進展せずに中国にも抜かれてしまっている。（右上の一二％値は、参考値としての中国だ）。ワニの口がこの時期、むしろ閉じる傾向にあることとの整合性、即ち、緊縮財政で歳出を抑制、公債発行を抑えられていることと表裏一体であることが確認できる。なぜ邪論なのか。国民の福祉を後退させ、経済力を大幅に後退させたこと、これでは正論でありようがない。

身を切る改革を推進した自民党党首が小泉純一郎氏だ。「自民党をぶっつぶす！　郵政民営化を実現する〜〜」。マイク片手に絶叫する氏の姿は印象的だった。改革好きの日本人。嬉々として投票所に向かった。特に地方では、特定郵便局があって、時々見回りにくる派出所のおまわりさんがいれば、おらが町に十分に満足していた。背後にアメリカの思惑があるなどとはおくびにも出さなかった。今となっては、誰が何のために郵政民営化を望んだか、わからなくなってしまっている。

おわかりいただけただろう。日本沈没の根本原因をシンボリックに表しているのが図-4であり、今日の絶望にも値する沈没を招いた原因が何であるかを。

図-4

【名目財政支出伸び率と名目GDP伸び率の関係（1997年⇒2013年、年換算、29か国）】

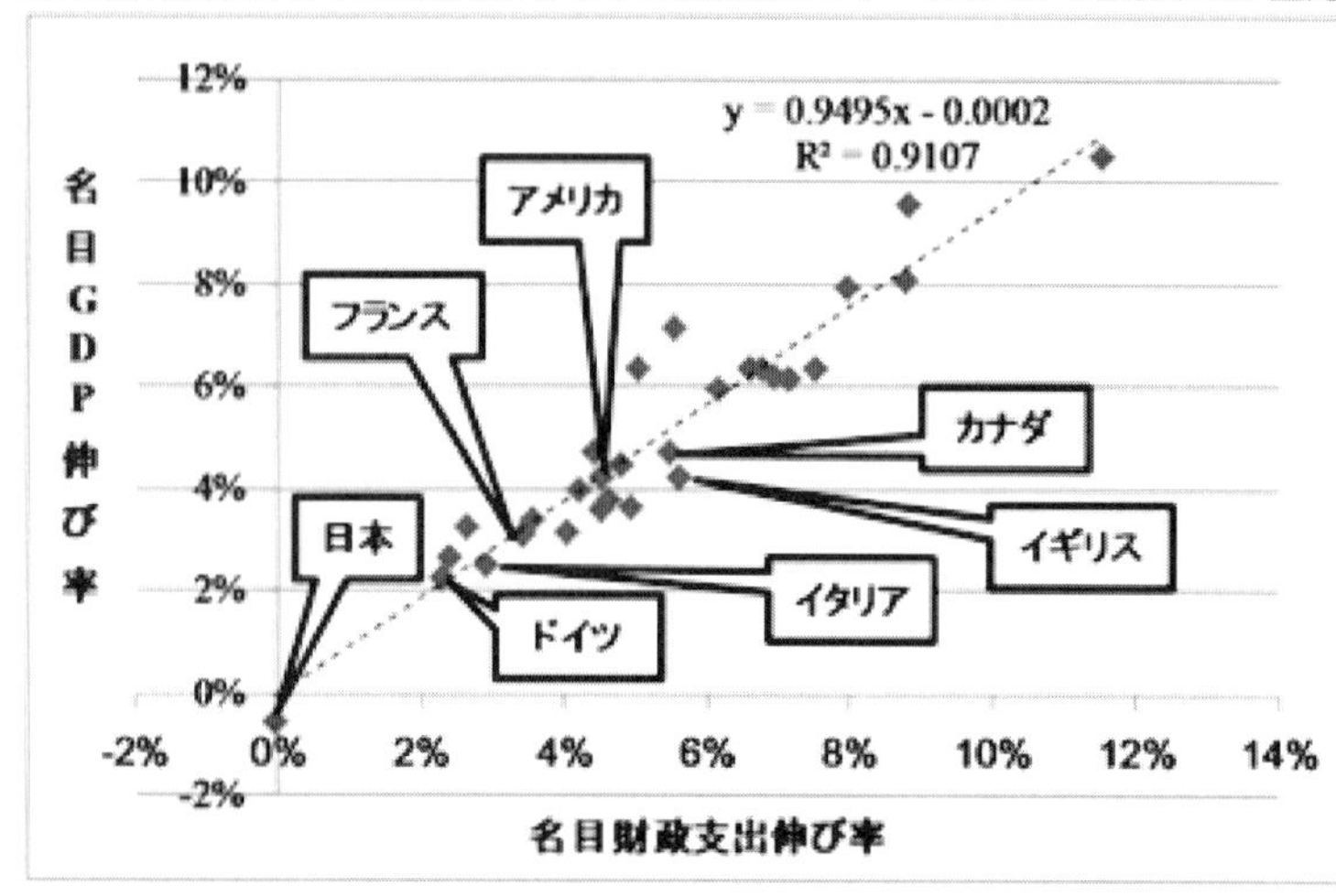

※出所：内閣府、米統計分析局、韓国銀行、豪統計局、アイスランド統計局、OECD
（日本とオーストラリアのみ、財政支出に公的企業の支出を含む）

●日本の没落

一九一八年に、シュペングラーは「西洋の没落」を世に問うた。まさに西洋の未来の没落を予言したのだ。百年後の二〇一八（平成三十）年には評論家の中野剛志さんが「日本の没落」（幻冬舎）を著した。中野氏は次のように記している。

> 一つの高度文明には栄枯盛衰のパターンがある。それは幼児期、青年期、壮年期、老年期という人の一生になぞらえられる。あるいは、季節が移ろう

ように、春、夏、秋、冬、という経過をたどる。すなわち、勃興、成長、成熟、衰退である。その終末において大都市一極集中と地方の衰退が起こる。人びとは、祖国や故郷の束縛からはなれて世界都市へと集まってくる。……このような現象は、シュペングラーにとっては進歩ではなく、没落の兆候に他ならない。（引用ここまで）

日本の場合、世界都市が東京首都圏を指しているのは明白だ。

まず東京一極集中が起こってきた歴史的背景をみておこう。

徳富蘆花は、およそ百年前、「国家の実力は地方に存する」という言葉を残したが、その実態はどうであったか。

以下は、書物「裏日本」（古厩忠夫著・岩波新書）から必要部分をピックアップしたものである。

大規模区分だった明治十三年のわが国の人口分布は、石川県（富山県、福井県の越前を含む）が一八三万人で全国第一位、一五五万人の新潟県が第二位、一〇四万人の島根県（鳥取県を含む）も東京都を凌いでいた。一八八七（明治二十）年、国税総額は、島根・鳥取の二県で一五四・二万円、これは東京都の一五四・四万円にほぼ等しい（データはいずれも日本帝国統計年鑑）。明治初期、東京は国税の二・五％しか負担しておらず、一方、北陸四県だけで九・〇％を納めていた。当時の国土は多極分散型で、実力ある地域が綺羅星のごとく全国にちりばめられていたのだ。

しかるに、そうして集めた国税を、明治政府は、東京、大阪、さらに山陽道へと鉄道を敷設し、殖産興業を通して巨万の富を首都圏及び太平洋ベルト地帯に集中させた。わが国人口は明治初めの三千万人強から四倍になったが、以上の経過により、一八八八年〜一九七〇年間の人口倍数で、日本海側は一・五倍、大阪はおよそ四倍、東京はおよそ八倍となった。以上が書物「裏日本」からの情報である。

国土の骨格はその傾向が生き続け、太平洋側と日本海側の格差拡大が一方的となった。この集積のために、投資効率の高い地域は太平洋側で、逆に日本海側は低い地域と一般に認識されている。太平洋側は富の集積という点で日本海側には大変な恩義があるにもかかわらず、その歴史的事実が顧みられる様子はない。明治時代以前、自然発生的に多極分散されていた富の国土分布は、富国強兵・殖産興業政策の副次的結果として太平洋ベルト地帯への集積へと転じたわけである。このような認識に立つ時、首都への一極集中が進んだ原因は、集中を必然的にする国策にあったことが判るだろう。

最後に中野氏は本文の締めとして次のように指摘する。

「西洋の没落」が世に問われてから百年。明治維新による西洋文明化から百五十年。いよいよ、我々日本人も没落の運命を受け入れざるを得ない時が来たようだ。ただし、それは、悲観や諦念に陥るということではない。シュペングラーのように、徹底して懐疑し、執拗に批判する能力と精神力を身につけるということである。あるいは、彼の助言に従って、「叙情詩よりも工業に、絵画よりも海事、認識批判よりも政治に身を投じる」のもよいであろう。いずれにしてもこの没落する世界を生き抜こうというのであるなら、我々日本人は、シュペングラーのような強さを我がものとしなければならないのである。（引用ここまで）

徹底して懐疑し、執拗に批判せよ、との指摘は、弁証法を徹底して行なえ、と言い直してもよいだろう。

人には順応力、適応力がある。それが「生き馬の目を抜く大都市への集中」をものともしない根拠だ。しかし過集積にも限界があってとても息苦しい。首都といえども、すべての中枢機能を背負うのではなく、日本の一地方になって、あるいは国政の中心地、あるいは聖地として特化し、まず首都圏の機能分散を早急に進めるべきではないか。現に、西日本には、首都圏直下型地震よりも、関西以西、四国、九州沿岸の、津波性地震が先にあってほしいと語る学者もいるくらいだし、はたして日本海側を「裏」とみる思想は正論なのか。

くなかった。

●見向きもされなかった積極財政路線

緊縮財政が続いたバブル処理の前後、ケインズ的積極財政を呼びかけた経済学者は少なくなかった。

「政府貨幣特権を発動せよ」(丹羽春喜著・紫翠会出版)は、二〇〇九年一月初版の書物で、二〇〇八年九月のリーマンショックに端を発する、世界規模の大不況を踏まえての出版である。一九七〇年を起点として積極財政を図った場合、二〇〇八年までの実績値の倍が達成できたということを指摘し、次のように提言する。

金融政策は景気の過熱を抑えるのには効果的であるが、不況に落ち込んだ経済を回復させることにはほとんど役に立たないものである。実はこの問題の模範解答は明白である。即ち、全世界的に金融がどんなに危機的な状況に陥っていようとも、また、たとえ、原油の輸入価格高騰といった事態が再来するようなことがあろうとも、いわば、それを尻目にかけて、わが政府が財政出動による内需拡大政策を大規模かつ持続的に実施して、我が国の実体経済（実質ＧＤＰ）が年率五％以上、といった高い伸び率で持続的に成長し続けるようにしてしまえば、わが国に関する限りでは、事実上、問題はすべて解決するわけである。（中略）本格的なケインズ的財政政策の出番なのである。（中略）もちろん「打出小槌」財源を活用することに踏み切ってしまえば、在来的な概念での国家財政収支が黒字であるか赤字であるかといったことなどは全く意味をなさなくなる。それに代わって意味を持つようになるのはマクロ的にデフレ・ギャップが発生しているのか、それともインフレ・ギャップが発生しているのかということだけである。（提言ここまで）

筆者は思う。以上の指摘が正しければ、デフレ時代に金融緩和によって不況脱出を試みた、前・日本銀行黒田総裁の思惑には疑問符がつくことになり、財政支出を積極化すべきだった、との結論になりはしないか。

二〇〇六年、宍戸駿太郎博士は「政府は公共投資を復活させよ」との論文を「週刊エコノミスト」（一〇月三日号）に掲載し、「政府は、八〇〇兆円という大幅な財政赤字からの脱却を目指して歳出削減と増税の方向へと進んでいる。（中略）一九九八年の橋本龍太郎内閣のデフレの再来を憂慮する声はまだまだ強い」とした。主張のエッセンスは、社会資本ストックが二〇〇三〜〇四年にマイナス成長に転換した、ここまで緊縮財政は憂慮すべき事態に立ち至っている、ということである。

以上のお二人、加えて島倉氏の御三方とも同じ危惧を別の角度から述べているのだ。いくらでも成長力があるのに、逆に、押さえつけて、長い、長いデフレを経験してきたのが日本だった。こうして多くの方々が、ケインズ的積極財政への転換を説いてきたにも関わらず、政治は馬耳東風で、彼らの見解、意見は全くどこにも活かされず、意見を無視した陰の正体は、当時全く見えなかった。不況の時は金融緩和ではなく積極財政が経済を救うこと、それしかないことはいつの時代も同じはずだ。

●邪論がはびこることによる国家的問題

「人間を幸福にしない日本というシステム」（新潮文庫）でウォフレンが指摘したように、わが国には昔から「仕方がない」哲学、即ち、諦念の哲学がある。長いものには巻かれろ、郷に入れば郷に従え、という。確かにそれは安逸をもたらす。だがそれは現実逃避だ。逃げ口上があたかも真理のようにまかり通っている。「増税が必要」も「仕方がない」から受け入れる。だがそれは邪論の場合が多いのだ。今回の防衛力増強のためにする増税論議はいったい何なのか。論理に飛躍がありすぎる。田中角栄だったか、大東亜戦争の経験者が健在なうちは、戦争は起こらないといっている。しかし岸田内閣は明らかな軍拡路線を突き進んでいる。はたして総理の自立した思考からそうしたものか、外圧に屈したものか、疑問なしとしないが、これに対し、政界を引退した古賀誠氏や河野洋平氏らが痛烈に批判している。

ここは筆者の見解を明らかにして論じねばならない。

コソ泥、あるいは強盗に入られないように戸締りはしっかりしよう。自衛に要する準備を怠ってはならない。必要ならば徴兵制度も辞すべきではない。万一の防衛体制、地下壕など避難体制の整備も怠るべきではない。国力の及ぶ限りやらねばならない。

ただ、他国に脅威を与えかねない規模となると、アジア諸国をはじめ、無用な警戒心を惹起し、世界の動乱に乗じて、日本も巻き込まれかねない。また規模の面から憲法違反の恐れも生じるだろう。万一、巻き込まれて、狙い撃ちされたらどういう事態が想定されるか。

次は、某大学名誉教授からいただいた助言である。

ロシアがＥＵに向けて核弾頭を撃つとＥＵは核で反撃するだろうから、ＥＵの代わりにウクライナに軍事物資を送った日本を核弾頭で見せしめに打つ可能性がないとは言えない。福島第一原発が狙われると、中部地方から東北地方までが消滅し、山河も残らない。日本が中国に、中国としての「専守防衛」の理屈を与えることはとてつもなく危険である。そこにも山河が残らない危険が潜んでいる（助言引用終わり）。

よって、わが国は絶対に、戦争状態になることを避けねばならない。しかも国連の敵国条項、即ち、日本やドイツには、国連の承認なしに、自由に軍事攻撃を加えてよいことになっている。令和五年度、防衛費は二六％増、鳴り物入りの少子化対策は一・六％増。公教育費も極めて低い。防衛費の急激な伸び率があらぬ疑惑を周辺に与えるようでは元も子もない。わが国は、当面、当分、少子化対策など、内なる充実を徹底して図り、満を持して国力を増強すべき。これが国家の鉄則でなければならない。

邪論の推進者は、政府・省庁を筆頭に各種団体もあり得る。それらは棋界の権威であるだけに加担しやすく、オールドメディアの一般誌、テレビ、多くの教育機関などが支援する。これらを通して、お茶の間や若者が洗脳され、選挙の場合の判断基準にしてしまう。

選挙の候補者も（洗脳されたり、迎合したりして）邪論を主張する者が増え、したがって邪論信奉者が当選すると、邪論ベースの政策に与することになる。

●令和四、五年の日本のバーゲンセール

熊「おいおい、日本、バーゲンセールだってよ。どこかの国の投資ファンドが日本のホテルを買い漁ってるって言うじゃねえか。それも日本が誇るホテルを二割引、三割引で九つも十もだ」

八「誰かが衰退途上国だとか言ってたよ。自虐趣味もいいとこだ。何でこんなことになっちゃった」

熊「なんか、バブルがはじけて、それまで借りまくっていたお金の返済ができなくなって、自社ビルでもなんでも売りまくって現金にかえていった。超緊縮経営だよ。合言葉はコスト縮減だ」

八「三十年も前からの話か。なるほど値下げ競争が始まったってわけだな。失われた二十年とか三十年とか、そのことか」

熊「人件費も上がらない。消費は増えない。買わない。だから値下げだ。この悪循環が始まった。モノづくり企業は安い労働力を求めて海外に出ていった。国内は空洞化するし

……」

八「せめて返済をリスケジューリングして、遠い未来、出世払いで倍にして返せばよかったんだよ」

熊「てなわけでデフレが続いて何もかも安い。結果、超円安だよ。だから世界中が日本買いに狂奔してる」

八「一過性の現象だろうよ。慌てふためいても仕方がないぞ」

熊「世界の競争ランキングってデータがある。バブル期の一九八九年、世界一は日本だった。今や二〇二二年は三十四位だぜ」

八「見る影もない。いや〜。すげえもんだな。ここまで落ちるとは！」

八「少子化も日本売りも同じ文脈だよ。政治は天下の大事を忘れ果てて同志のつぶし合い。コップの中の争いが見苦しい。井の中の蛙、大海を知らねえからだよ。情けねぇったらありゃしねぇ」

熊「経済力が落ちると誰も振り向かないぞ。今、世界が一挙手一投足を見つめているのはバイデンと習近平だろ。それだけ日本は軽いってことよ」
熊「タフネゴシェーターたりえない。日本は旗幟鮮明にしない方がいいってことか」
八「そうそう、インドをみてみろ。八方美人だ。同じさ、たとえロシアだろうとつないでおかなきゃ。修復には何倍ものエネルギーがいるぞ。ただし、露助には今日まで一方的に弄ばれてきたんだけど」

●最高権威を叱る機関がないことの問題

国々の国権は交代してきた。例えば、中国では「易姓革命」が起こり、対立者による王権が誕生してきた。ある国ではクーデターなど暴力革命が起こったりする。

日本ではどうか。明治開国では御一新があった。維新は、衣替え、脱皮だ。今ならば、与党と野党の入れかわり。しかし、野党が弱い時にはなかなか起こらない。支持率が低下しても与野党逆転とまではいかない。立法府より上位に立つ組織はない。いくら堕しても総選挙までは安泰だ。

戦後、様々な経過をたどりながら、三四半世紀の今日までやってきた。その間、死に物狂いの戦災復興、次いで高度成長期を経て、やがて上がったボールが放物線を描いて落下するように、日本は没落の途上にある。なぜここまで追いつめられたか。いつの間にか、わが国は、執念深さや事物をとことん追及する態度を失ってしまったのではないか。

絶望とは、キルケゴールによると「死に至る病」のこと。絶望ゆえに日本は死ぬことになる。

解決策はある。にも関わらず何もしない。何代にもわたる少子化担当大臣で一ミリでも改善したか？　根本的には哲学が不在だからである。そして思想の平和共存が許された国家、裏を返せばぶつかり合いと止揚のない哲学不在の国家だから。

●絶望は勝手な現実解釈によって生まれる

ミロのヴィーナスは一度だけパリのルーヴル美術館から持ち出され、東京と京都で展示されることになった。昭和三十九年（一九六四年）春のことである。以下、福岡市における九州大学学生二人と助教授（当時）の対話。

学生「京都。行きてえなぁ。しかし金がねぇし、現実が許さんよ」

助教授曰く「お前ら本気で行きたいんじゃないだろう」

「いや、行きたいです。是非見たい。でも現実が…」

「現実、現実って言ってるけど、現実って何だ？ それってお前らが勝手に決めた現実だろ。本物なら這ってでもいく」。

学生は意表を突かれて言葉を失った。が、悟りも速かった！ そして数日後、二人は国道三号の脇に立ってヒッチハイクし、大型トラックに拾われて関門海峡をくぐった。これをくり返して京都に着いた。

あの、腕がもげたミロのヴィーナスを、感涙しながら眺めた。お金がないからデパートの食料品売り場で「お試しください」（試食）を片っ端から食べて空腹を満たした。今もその内の一人はこうして生きて、現実ってなんだ、と若い連中と対話をつづけているのだ。

今の日本は絶望している。だが実態は「現実が許さない」と勝手に決め込み、どうにもならないと諦めているだけ。それどころか、ヴィーナスを見たいという願望、即ち、理想は何であって、なぜ実現できないのか、そのことに思いが及ばない。一方で、国会でさえワンパターンの質疑応答をくり返しているかにみえる。ここにも、弁証法的発展が見られず、次元が高まらないままの論理が平和共存している。また、勝手に決め込んだ現実が、戦後のままの制度しかありえない、との惰性におちいって自らの進歩をさえぎり、これが、先に述べたウォルフレンの「仕方がない」哲学に帰結しているのだ。

聴くところによると、わが国の人口当たり国会議員数は、米国のおよそ三倍、一人当たり年間二億円かかる。昨今の政治の劣化ぶりには目を覆いたくなるものがあり、まさに代議制民主主義の危機である。国会の上には何もないのだから、やりたい放題。特に、自分のふところにかかわるお金のことがお手盛りとなっている。この方々が国民全体の幸福、不幸を決めるマツリゴトをしているのだ。民主主義の危機。だが民主主義が機能するには構成員一人一人が覚醒していなければならない。票の買収がまかり通る政治風土では成り立たないのだ。お金で投票先を決めるようでは、民主主義は衆愚政治に堕してしまうだろう。

今、日本はあらゆる面で縮小過程を歩んでいる。縮小過程の国家と国民生活のあり方。この哲学も理念もない。

八「やっぱり政治か。未来日本へ、先回りして戦略をねる…そんな組織も国士もいなかった」

熊「とことん、突っ込んだ話をしない。日本は。死に物狂いでやらねぇんだ。だからいくつもの考え方が共存したまま収斂しないんだよ。くり返しくり返し、同じような意見や社説で溢れてるだろ。徹底議論をすれば、万人納得する正論が見えてくるはずなんだけどね〜」

八「ん〜〜ん。そっか。思想界では弱肉強食がないんだな。討論が中途半端だから平和共存してるってことよ」
熊「邪論を見抜く眼力がいるんだ。審美眼ならぬ審真眼。どうやったら育つんかな～」
八「結局、徹底討論によって、まず、無知を知れ。さらに徹底討論せよ、ということしかないかな」

●議論を深める弁証法

ダーウィンの「進化論」は、地球上にはさまざまな生物・種が存在しているが、進化し続けるものだけが生き延びる、といった内容。これに対して文化人類学者、今西錦司博士の「棲みわけ理論」がある。ダーウィンの理論では、「蛇はカエルを食う。ならばカエルは絶滅の運命をたどるだろう」。しかし、「オッとどっこい、カエルは生きている」。ちゃんと棲み分けてるじゃないか！　即ち、蛇もカエルも平和共存しているのが日本流。思想の平和共存も日本流。いかにも穏健な帰結である。そこで思い当たるのが弁証法だ。

ソクラテスは、自分がいかに無知なのか、そのことを自覚せよ、と言った。この自覚を「無知の知」と呼んだ。現在はソクラテスの弁証法として定義づけされている。

ヘーゲルは考えた。

「一つの思想は必ずその反対の思想を生む。而して、それらの矛盾する両思想はさらに一層高等なる思想において総合させられる。正、反、合。これ、実に宇宙思想の展開の法則である（西洋哲學史要・波多野精一著・玉川大学出版部、昭和五二年六月初版）と。徹底議論を尽くせば最高思想に至るという。ところがわが国では併存したまま棲み分けている。政党にも「身を切る改革、大好き派」と「積極財政派」が併存し、相変わらず同じ主張のくり返し。アウフヘーベン（止揚）に至らない。学校のホームルーム活動でさえも止揚は起こる。賛成、反対、だったらこうしたら、という両者が満足できる回答が生まれたりする。

ここでは「弁証法」を「対立または矛盾する二つの事柄を合わせることにより、高い次元の結論へと導く思考法」と定義しておこう。

で、堂々巡りの議論には弁証法的発展がない。なぜないのか？　棲み分けに満足し、結果的に思想の進化を拒絶しているのではないか。高みに到達しようとの執念がないのではないか。諺に「長いものには巻かれろ。郷に入れば郷に従え」という。この教えは政策論に関する限り通用させてはならない。

実は、民間では商品開発などで発展的議論を常にやっている。例えば急速冷凍機はその結果生まれた食品世界の大革命だ。民間ではたえず新陳代謝が行われ、着いていけない多くが淘汰されていく。

しかし、立法府にはそれがなければならないという法律はない。

ご意見箱をネットに開設している各政党。「貴重なご意見ありがとうございました。参考にさせていただきます」とおうむ返しの返答。その後、提案者と受信者との間にキャッチボールはない。ダイアログがないところに弁証法的発展はなく、オールドメディアにおいても、与えられたテーマへの回答が平面的に並べられているだけだ。

もし、民間並みの競争と淘汰が起これば、緊張感をもって成果も上がるかもしれない。

ちなみに、「ある政体がダメなら国際連合政府が取って替わるシステムを導入する」ということも考えられる。その時、どうなるか、「今の日本の政治はダメだ、当分の間、アメリカ政府が替わって、その職責をになうことにする」となるだろう。

実は、日本はそのことを敗戦直後に経験しているのだ。ＧＨＱがすべてを担ったあれである。では、今、その可能性があるだろうか…。それはない！　現国権は一応面目を保っているからだ。

立法府、政府は、その上がない最高の「公共財」だ。叱り手は誰もいない。それらを生み出したのは法である。だが、法は入れ物を準備するだけで、中身は住人が自由に作る。公約を守ろうが反故にしようが住人の自由だ。国民を不幸にするのも自由の結果であるからには、自由なることを恐れなければならない。その重責を自覚してこそ公共財としての機能が活きる。現法の範囲で政治が身勝手に対応している実例を挙げてみよう。

●李鵬首相の予言

通産大臣等を歴任した武藤嘉文氏（故人）は次のように国会で証言している。

「オーストラリアへ参りましたときに、オーストラリアの当時のキーティング首相から言われた一つの言葉が、日本はもうつぶれるのじゃないかと。実は、この間中国の李鵬首相と会ったら、李鵬首相いわく、君、オーストラリアは日本を大変頼りにしているようだけれども、まああと三十年もしたら大体あの国はつぶれるだろう、こういうことを李鵬首相がキーティングさんに言ったと。お前どう思うか、こういう話だったのです（後略）」（第一四〇回国会　行政改革に関する特別委員会平成九年五月九日）

李鵬首相の発言は文献「領土消失宮本雅史・平野秀樹著・角川新書・二〇一八年十二月一〇日初版」によると、一九九五（平成七）年のこととされている。（以下、この項に関する文献は本書による）

十年後の二〇〇五（平成一七）年、国交省と北海道開発局が主宰する「夢未来懇談会」

で中国人経営者が登壇、「北海道人口一千万人戦略」と題した基調講演をして参加者を驚かせた。

「農林水産業や建築業を中心に海外から安い労働力を受け入れる。北海道独自の入管法を制定し、海外から人を呼び込む。授業料の安い様々な大学を設立し、世界から学生を募集する」（以下略）

そして二〇一七（平成二九）年。著者の宮本氏は次を紹介している。

「知人の在日中国人で、中国の動向を永年注視している評論家に、中国の戦略に聞いたことがある。彼は私（宮本）に、中国は一つの目的を持って、二十五年前から沖縄を、二十年前から北海道を狙ってきました。（中略）これからもどんどん北海道の土地を買ってインフラを整備し、自治区を造っていくでしょう。（中略）中国の一部メディアの間では北海道は十年後には中国の三十二番目の省になると言われています、と（知人は私に）話した」

筆者は、二〇一九年、観光を兼ねて北海道の平取町を訪問した。出会う人毎に、上述関連情報を得ようとしたが、誰も、何も知らない、とのことであった。外国の治外法権地域が北海道に誕生したことになるが、日本との関係が円満とは限らない。政治は無関心を装っているが、何もせずにすむ話ではないだろう。

国家の一大要諦は、領土を保全することである。では他国はどのように保全措置を講じているのか、参考までに、諸外国の、外国人の土地取得への規制について本書に示すところを記しておこう。インドネシア、フィリピンは原則不可。スイスは過剰外国化を阻止、かつ未開発地は州許可。韓国は軍事区域の周辺などは許可制、他は届け出が必要。ケニアは農地、沿岸部は制限。アメリカは州法で取得規制。それに比べて、日本だけはオールフリーなのである。

法律の制定に、予算は不要だ。（土地の既得権者への対応は慎重を要するだろうが）国家の安全が高まるこの法制上の措置がないことは政治の怠慢以外の何物でもないだろう。与党、野党は、総選挙の際にその是非について問うたことがあるのか。国民こそ各党の見解は如何を問うてみたらいかが？

今、政治は何をすべきか。少なくとも近隣諸国との緊張を引き起こしかねない防衛費の増額ではないだろう。世論的にも収斂していないその増額は無謀である。その議論は深めねばならないが、一方で、可能な措置は一日も早い方がいいに決まっている。その措置をとると仮定して、その際、極論すれば九条に触れる必要はない（第二項は廃棄すべきと思っているが）。むしろ残してでも、海外勢のステルス戦略による侵略に備えるべきだ。国民に切々と訴えるならば、必ず納得する。子や孫の幸せを願うならば、主権者が納得しないはずがない。

思えば、大東亜戦争を記憶する政治家がいるうちはよかった。憲法があろうがなかろうが、再びあの愚を犯すことはなかった。今日の、論理的飛躍、結果としての予算倍増は他国を刺激して危険だ。現下の政治力の下、多くの草莽の臣が、国を憂いて努力しても灰燼に帰してしまいかねない。この愚を何としても避ける努力を政治はやってもらわねばならない。

●売国政治家の論理

憲法審査会は二〇〇七（平成一九）年、「憲法改正国民投票法」が成立したのを受けて、衆参両院に設置された機関で、組織や運営に関する規定が決議された二〇一一年から活動を開始した。「日本国憲法及び日本国憲法に密接に関連する基本法制についての広範かつ総合的な調査」と「憲法改正原案、日本国憲法に係る改正の発議又は国民投票に関する法律案等の審査」が目的である。

二〇一六年二月六日に開かれた参議院の憲法審査会における、自民党の丸山和也議員は次を発言した（一部省略。発言は「」内の部分）。なお文献は「右の売国、左の亡国」（佐藤健志・経営科学出版）であり、文中のコメントは著者の佐藤氏である。

「憲法上の問題でもありますけれど、ややユートピア的かもわかりませんけれども、例えば、日本がですよ、アメリカの第五一番目の州になるということについてですね、例えばですよ、憲法上どのような問題があるのかないのか」（ハフィントンポスト二〇一六年二月十七日付配信記事)。

「そうするとですね、例えば集団的自衛権、安保条約、これ全く問題になりませんね。それから今、例えば、拉致問題ってありますけれど、拉致問題って恐らく起こってないでしょう。それからいわゆる国の借金問題についてでも、こういう行政監視の効かないような、ズタズタな状態には絶対なっていないと思うんですね。

(中略)これはですね、例えば日本がなくなることじゃなくて、例えばアメリカの制度によれば、人口比において下院議員の数が決まるんですね。比例して。それとですね、おそらく日本州というような、最大の下院議員選出州を持つと思うんです、数でね。上院は州一個で二人。日本をいくつかの州に分けるとすると、十数人の上院議員もできることになると、これはですね、世界の中の日本というけれども、日本州の出身が、アメリカの大統領になるという可能性が出てくるようになるんですよ。ということは、世界の中心で行動できる日本という、まあ、その時は日本とは言わないんですけれども、あり得るということなんですね。（中略）例えば今、アメリカは黒人が大統領になっているんですよ。黒人の血を引くね。これは奴隷ですよ。（中略）まさか、アメリカの建国、当初の時代に、黒人・奴隷がアメリカの大統領になるとは考えもしない。これだけのダイナミックな変革をしていく国なんです」

佐藤氏のコメント「以上は丸山議員の問いかけの形になってはいますが、アメリカの五一番目の州になることについて、憲法上の問題はないだろう、と言いたがっているのは明らかでしょう。省略しますが、続く箇所では、アメリカに併合されることのメリット（とされるもの）がいろいろ挙げられています。（ここまで）

アメリカが是認するか、そのことが先決だが、仮に併合したとして日本国憲法は失効し、自衛隊は合衆国の軍隊となり北朝鮮への矢面に立たされよう。合衆国憲法「人民が武器を保有し、携帯する権利は、これを犯してはならない」のだが、はたして現日本民族は納得するのだろうか。国権の最高機関の一員に、丸山議員のようなマインドがある限り、おちおち国政を任せることはできないし、その他の活動によって、悠久の国家、日本のオリジナリティは失われていくことが懸念される。

●理念なき格差是正論

衆議院の小選挙区の格差是正措置「一〇増一〇減」は、一言でいうと、地域別人口の増減に応じて首都圏の議員数を増やし、地方圏の議員数を減らすもの。一極集中を放置したままならば、半永久的に是正、是正をくり返し、国会は首都圏の議員であふれかえるだろう。いいのか。根本は、"首都一極集中の是非"を判断する、国土利用の理念や理想がないからであって、放任してはばからないのだ。まさに戦略不在で、日本の没落と軌を一にする。しかも国権は日本の没落の最大原因とされる先の文脈を、特段の検証もなく認めているのだ。今、わが国で起こっている、重篤な現象の一つはこれではないか。日本が滅びるというのに、国権の最高機関はいかなる有効な手立てを打ってきたのか、筆者には何も伝わってこない。

国家のトータルな理想や目標がなければ、部分最適の解決案しか生み出さない。個々バラバラな政策を積み上げたところで施策間に様々な矛盾が生じたりして、トータルの最適解にはならない。

ゆえに、全体最適の解に到達するには、何か、上位の思想なり、哲学と理念がいる。世界の潮流を正しく認識することはその第一歩だろう。世界的な食糧難、そのための自給率の向上、出産子育て環境の整備などが不可欠であるからには、地方圏の重点開発への方向転換が必須ではないか。それには、「私たちはどこに向かいたいのか」。このことを追求し、かつ、確認する必要があるだろう。

憲法の理念は「基本的人権尊重」、「国民主権」、「平和国家」とされる。これらは、国民が国家に与えた、あるいは、国家が自らに課した「枷」とみなせる。

では枷だけがあればいいのか。大切なことが抜け落ちていやしないか。より積極的に、わが国は何処に向かうのか、という「目指すべき坂の上の雲」。これなくして政治の志は生まれない。

例えば、「自主独立、世界貢献、国民福祉」という目標があったとしよう。これは政策の評価システム（チェック機能）にもなるだろう。これは整合性ある施策体系の誕生に加担し、ひいては一つ一つの政策もトータルの見地から監視されるし、シナジー効果も期待されよう。「坂の上の雲」は国民の総意として政治がまとめるべきではなかろうか。

●老人が活き活きと輝く老齢年金倍々増の提案

さて、弁証法的発展を自ら唱えた手前、極めて好都合な提案に出会った。ここで筆者の提案に加え、新しい考え方を導いてみよう。

「年金を百万円アップする方法」（週刊現代二〇二三年二月十一・十八号）が提案されている。

内容を簡単に次の【　】に紹介する。

【ほとんどの日本人は、公的年金だけでは満足した暮らしはできない。だから年金生活者は使わず、貯蓄するし、消費もしない。そこで、六十五歳以上年金受給者に、年あたり百万円を別途配布する。即ち、国民年金（基礎年金）を月額八万円増額する。財源については以下のようにする。

原資を税金や保険料の形で得ようとすると不景気になる。特に消費税増税は経済にダメージを与える最悪の選択だ。適切なのは、日銀引き受けの国債発行だ。試算すると、年金を一律で百万円増額するに必要な予算は四十兆円程度。日本政府には借金をする余裕が

まだ十分にある】

関連する貴重な情報をネットから得ることができたので紹介しておきたい。

下記「ダイヤモンドオンライン」によると、ロンドン在住の経済小説家・黒木亮氏は次のように指摘しているという。

氏は一九八八年以降、英国から日本の「失われた三十年」を見つめてきた。

「今の日本は、先進国の中では二等国です」

「日本の劣化を肌で感じます。国民年金なんて、日本の支給額は年間せいぜい七十万円ですが、イギリスは年間一八〇万円が支給されます。今回の帰国フライトでも、欧州からの便に乗っている客は九五％欧米人。インバウンドが復活しているのは、日本の物価が異様に安いからで、例えば欧州でもギリシャやポルトガルを見ても分かるように、世界的に物価が安いのは〝貧しい国〟である証しです」

文献はダイヤモンドオンライン「日本はますます劣化」「先進国の中では二等国」英国在住の作家が語る〝失われた三〇年〟を執筆したコラムニストの河崎　環氏の意見によっ

た。発言は二〇二三年春と思われるが日付は不明)。

老後の備えとして二千万円が必要、とか喧伝されて、寒さに震えて縮こまっているのが高齢者だ。しかし、提案のように、老後の不安が解消されれば、消費行動も活発化する。現役高齢者も、将来の高齢者である現役世代も安心して消費を増やすだろう。結果、企業の収益も増えて賃金が上昇、経済も成長する。まさに、イソップ寓話「北風と太陽」であってオーバーコートを脱がせるのは太陽政策に決まっている。増税、増税と言わずに一つくらい、かかる暖かい政策を採ってみたらいい。内閣の支持率大幅アップ、まちがいなしだ。それには貨幣革命を受け入れていることが前提となるだろうが…。

痛快な提案なので、思わず膝を打った。この際、メーデーには、現役高齢者も未来高齢者もそろってデモでもやったらいかが？ シュプレヒコール「政府は国民に希望を与えよ～～」。健康にもよく一挙両得だ。

●長所を活かせ、個性を活かせ。そこに歴史は創られる

熊「八っあん、ひさしぶりだね。面白い提案だろ？　これくらいやったらどうかね」
八「日本はどこで道を誤ったんだろうね〜。前世紀末のバブル崩壊の処理が問題だったというんだけどねぇ。膨らんだ風船をパチンと破っちゃった。バブルと言ってもそれなりにレールを走ってたんだよ。急ブレーキを踏んだからたまらない。倒産、破産、大変な事態になった。実務家には考えられもしない手、だったらしいよ」
熊「迷走に次ぐ迷走だよ。国の借金、うん兆円への怯えから、結局、超緊縮財政だ」
八「そう。もっと堅実にやるべきなんだ。下手くそめが！！　これから日本、どうやって成長軌道に乗せるか、議論してみる価値がありそうだ。おれ、ものづくり日本こそ日本の本道。立ち返るべきと思ってんだ。
たとえば、だ。和食って、うまい食い物と思ってるだろ。それは和食文化の一要素よ。食文化はワンセットだ。座敷、琴の音、奏でる美しい女性、そこに料理が運ばれてくる。お皿の色、盛り付け、形、味、生け花、障子には柔らかな日差し。女将さんの挨拶、しな

やかな手、それらすべてがそろって初めて和食なんだ。一式そろえるだけでもすそ野が広い。新鮮な魚だろ。野菜だろ。輸送システムだろ。多くの関連産業が必要なんだ」

熊「なるほどそっか。錦鯉もそうだな。盆栽もそう。いっぱいあるな。食品サンプルなんて本気で噛みついた外人さんもいるくらいだ。ん〜〜ん。『ものづくり道』こそ日本の特技だな、確かに。ここから復活の狼煙を挙げたらいいってわけか。盆栽、錦鯉は今や輸出花形産業だし、モデルはもうできている」

八「ったくそうだよ。大企業だけじゃない。中小・零細企業に至る重層構造こそ日本の強みっていうじゃないか」

熊「そうそう、もう一つは和イズムだよ、日本は。和を以て貴しとなす、って、議論を尽くして和せよ、という意味らしいぞ。和で勝つ例は、スポーツならばマラソンよりも駅伝、個人戦よりもリレー戦、野球、サッカーなどチーム戦が強い」

八「一致団結の力、未来日本はこれを活かすってことか」

なぜここまで堕したのか。複数の要因が絡んでシナジー効果が生まれたのではないか。極めつきは、長年に亘って緊縮財政（図-4）を続け、この間全く経済成長しなかったこと、他方で、拝金主義や公私混同が質実剛健の気風を失わせてきたこと、その双方が車の両輪となって作用したのではないか。

戦略立案のため、まずは未来を見る目を確かなものにせねばならない。それには何よりも先に己を知ること、即ち、日本人論こそ、縦、横、斜め、あらゆる角度から探求し、その実像を明らかにせねばならない。かくて我らのアイデンティティを確認、確立されたところで未来設計にかかろう。あわせて、日本の真実・史実を追求する「日本学」を充実させて、認識が広く共有されねばならない。

未来論を定着させるために手っ取り早いのが「国家未来省」の創設だ。任務は国家百年の大計を練ること。かつての経済企画庁、及び（未来の国土の在り方を模索した）国土庁、そして国際企画を含む組織としたい。出向者は帰属省庁の専門の代表者であっても省益のためであってはならない。地方自治体、民間シンクタンクの知見が存分に反映される組織としたい。実務を離れるから多人数である必要はなかろう。かかる羅針盤を備えることが必要不可欠だ。

多分、身を切る改革派は、組織の復活に反対するだろう。が、かつて切り捨てた時、どのような基準によったのか。

国家のブレインたる中枢組織までつぶした改革だったから、その後、総理総裁に知恵を授けることもバックアップもできず、したがって総理総裁は、思い付きの気球をその都度ぶち上げては破裂して終わってしまうという悲劇を味わされているのだ。政治に重厚さを感じないのはそのせいではないか。お粗末にも日本の没落は、政治がわざわざ、政治力を用いて作り出したものではないか。哲学と理念なき政治とはこうも恐ろしい。

図-5

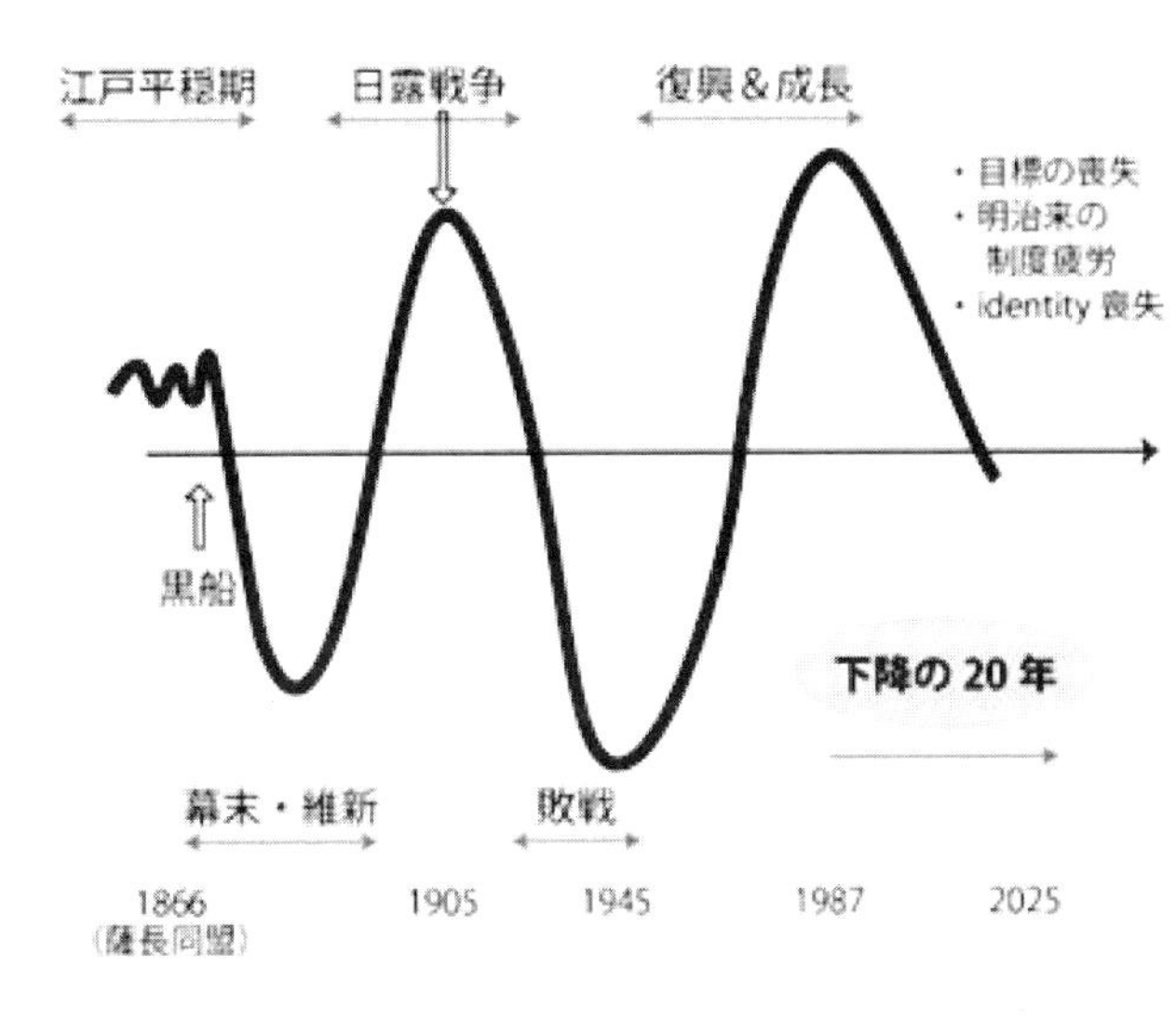

●ついに迎える上げ潮

夜が来てもやがて朝がやってくる。上げ潮もいつかは凋落し、凋落してもいつかは上昇する。過信と失意のくり返しで幸不幸の周期が生まれる。

次の図-5は、筆者流の分析である。

日露戦争一九〇五年（上昇のピーク）、世界大戦敗北一九四五年（下降のピーク）、経済成長（上昇）からバブル経済直前一九八五年（上昇のピーク）、二〇二五年（下降のピーク）上昇へ、となる。他に七九年説もある。アップは課題の克服過程。ダウンは驕り、緩み、気の迷いなどの発生で敗北、と続く。

四〇年周期に法則性があるとすれば、そろそろ上昇期に差しかかるころだ。その気配は、すでに述べた中に隠されていよう。最後に、くどくどと述べてきた、少子化問題を乗り越える具体策を次に示したい。

●少子化対策の制度設計

糸島市の「子育て支援課」にヒアリングを行った。

支援対象は、結婚新生活、妊婦、出産後、児童、のフェイズごとにある。

図-6

出産・子育て必要資金の概念図

金額
A
B
C
D
出産子育て時代
熟年時代
20
年齢

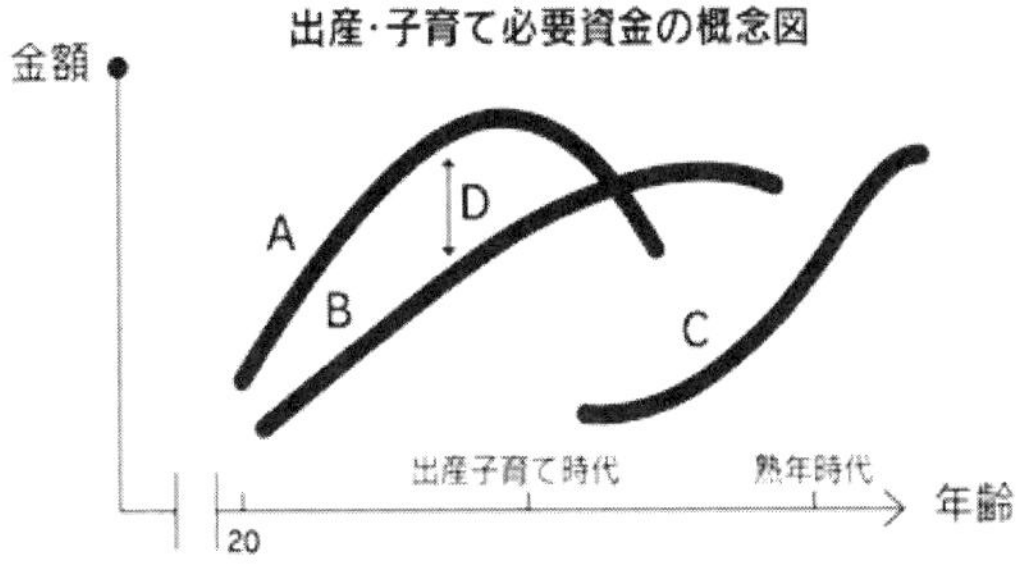

凡例：　A：出産子育てに要する費用　B：当該男女の所得

C：同じく貯蓄額　D：助成金

イ）母になる人に妊娠一回につき、現金五万円

ロ）出産後、対象児童一人につき現金五万円

ハ）児童手当（国、県、市が均等に負担）〇歳児から十五歳まで。一万五千円／人・月（年間十八万円）だが実情に応じて変わるようだ。

ニ）結婚新生活支援事業。最大六十万円（引っ越し費用、新居の住居費に限る）

ホ）夫婦で世帯収入五四〇万円以下。夫婦とも三十九歳以下など、所得や年齢などに制約があるようだ。

以上を最低限の支援策として、より充実した手当を行う。

一．出産・子育てをする意志を有し、夫婦相当の関係を結ぼうとする男女は、（仮称）「ハッピーファミリープラン」（ＨＦプランと略称）の適用を申請することができる。以下は手続きのポイントだけを述べよう。

二．市区町村はご両人と面談し、意思の確認及び日常生活を取り巻く出産子育て環境を確認し、助成の妥当性を判断する。

三．助成金は図-６が示すＤに相当する額とする。

四．政府は助成額を決定するに要するデータを毎年作成し、地方自治体に通知する。

五．政府はＨＦプランを充実させるよう、次の支援に努める。

イ）仲人機能の充実（集団見合いなどの仲介、仲人への手当て）。

ロ）子供の生育環境の改善。

ハ）職場等における女性雇用面のハンディキャップの撤廃。

ニ）核家族の弊害を除去すべく複数の親子が保育所、幼稚園などで共同の居場所や時間を共有すること。

ホ）出産・子育てを終えた世代による子育て支援。

六．養育児童数に応じた所得税の減免を行う。また、出産子育てを選択しなかった生涯独身者、あるいは夫婦であっても一定の年齢を超えて子供がいない場合（子どもが授からない場合を含む）は社会保険料を引き上げる。

以上を骨格として、待機児童問題や生育環境の改善など、周辺状況も改善される必要がある。

政府、こども家庭庁の充実したメニューが準備された。Dのかなりの部分はそちらで満たされるはずであることを付言しておきたい。

希望こそ人を元気にし、不可能を可能にする。

希望を与える政治たれ！

第二部　日本社会のアイデンティティ

第四章　日本人の幸福の体験

本章の骨子

当世の子どもらは幸福感に満たされているのだろうか。親御さんにはどう見えているのだろうか。どんなに打ち沈んでいても、あるいは幸せであっても、他の幸せを知らないならば答えようもないだろう。幸せとは多分に相対的なものだからだ。でも、仮に、日本の歴史において体験した別の幸せというものがあれば、可能性として夢見ていいのではないだろうか。求めること、夢を描くこと、それは自由だ。幸福のイメージを膨らませる意味でも、好ましい生育環境を模索するためにも、次を紹介する意味があるだろう。

●開国当時、異邦人が見た日本は驚くべき楽園だった

読者は「逝きし世の面影」（渡辺京二著・葦書房）と言う名著をおそらくご存じだろう。開国当初、日本を訪問した外国人の見聞を収録した本だが、膨大な労力を要したこの本こそ、一世紀に一冊出るか出ないかの不朽の名著。そこには民衆のとても幸せな様子が活写されている。その中から一つだけ紹介しておきたい。

一八六一年六月終わりから七月一日にかけて、……小さな寺院は参詣者で溢れた。その十分の九は女だった。顔の赤い娘たちを連れた陽気な農婦に交じって、華やかな衣装をまとい、顔を白く塗った茶屋女の姿も見られた。彼女らはそれぞれ座布団に座り、前に小さな鉦（かね）を置いていた。僧が読経を始めると、全会衆が加わり、鉦を叩き「南無、南無……」とフォーチューンには訳のわからぬ文句を唱えた。お勤めは一時間あまり続くが、休みには彼女らは元気づけに酒を一杯やるのだった。翌日、また鉦を鳴らす音と「南無、南無」の声が聞こえたので、彼は様子をのぞきに行った。二、三分いて自分の家に帰ろう

とすると、全会衆があとについてきた。思うに、彼の訪問へのお返しのつもりであるらしかった。中にはやっと歩けるぐらいの老爺も何人かいたが、大部分は女と子どもだった。女どもはフォーチューンの衣服や本や標本を調べにかかった。蝶や甲虫や陸貝がおどろきと疑問の的となった。この人は何をする人なのかというわけである。少し知恵のありそうなのが「薬を作るのさ」とのたもうた。「歳はいくつだろう、結婚はしているのか。」疑いもなく、私を種にして、気のいい冗談が彼女らの間に飛び交っていた。「わたしが嫁さんになってやろうかね」などと言い出すものもいた。お勤めが残っているのを思い出して、彼女らはお辞儀をたっぷりして帰って行った。勤行の声が聞こえ出した。

突然、声がやんだので、今日のお勤めは終わったのだと私は思った。だが間違いだった。しばらくして、これまでのお勤めの声とはまったく異なる楽しげな声があがるのが聞こえた。そこで私は好奇心を満たすために、もう一度会衆を訪ねる気になった。お寺の前庭に入ると、奇妙な光景が眼前に現れた。さきほどまで敬虔な祈りを捧げていたのと同じその部屋で、そして同じ会衆が、いまや酒を飲んでいた。わき上がる大きな笑い声や陽気な大騒ぎからして、早くも効き目が現れているらしかった。私が戸口にいるという情報はすぐ部屋中に伝わった。よろこびの叫び声とともに、私は会衆から迎え入れられた。酒に関する限り、この人たちのもてなしのよさは限度がなかった。いろんなグループから、いっしょにやろうという誘いがかかった。……定められた刻限に僧侶が衣を着て現れると、飲み残しの酒は片づけられ、会衆の顔つきは陽気から厳粛に一変した。もっとも何人かの顔は赤くなっていたけれど。そしてまたお勤めが始まった。寺詣では「後生の一大事」（連如）のためであるのみならず、このように村人どうしの心が融け合うための行事だったのだ。（引用終わり）

底抜けの陽気さである。そのわけは、当時の人びとの生活が満たされていたからではないだろうか。家康の宿望であった「厭離穢土欣求浄土（おんりえどごんぐじょうど）」が実現していたからではないだろうか。筆者は、当世の人びとの幸せを絶対幸福と呼びたいと思っている。随所に見られる異邦人の感想には、まるで小さな妖精の住まう楽園だ、とか、子どもは、機嫌がよい、泣かない、丸まると太ってるという感想を異口同音に述べているのだ。

●安心安全の国、ニッポン

次は、日本という国の安全性についてである。

大英帝国の旅行家、探検家、写真家と称されたイサベラ・バードは、開国当初の日本を訪れた一人だが、伊藤という馬引き一人だけをお供に、東京を起点に日光から新潟県へ抜け、日本海側から北海道に至る北日本を旅した。山形に足を踏み入れた時、東洋のアルカディア、との惜しみない賛辞を送っている。後にまとめた「日本奥地紀行」(イサベラ・バード著・平凡社、高梨健吉訳)は、日本という国の安全性について次のように記している。

「私はそれから奥地や蝦夷を一二〇〇マイルに亘って旅をしたが、まったく安全で、しかも心配もなかった。世界中で日本ほど、婦人が危険にも無作法な目にもあわず、まったく安全に旅行できる国はないと私は信じている。後で分かったことだが、柳行李が一つあれば十分である」

一八七七年から八三年までの三回にわたる日本滞在の経験を、「日本その日その日1」(平

凡社　東洋文庫）に著したエドワード・S・モースは、日本人の行儀良さや信頼について次のように述べている。

「錠をかけぬ部屋の机の上に、私は小銭を置いたままにするのだが、日本人の子どもや召使は一日に数十回出入りしても、触ってならぬ物にはけっして手を触れぬ。広島の旅館に泊まったときのことであるが、この先の旅程を終えたらまたこの宿に泊まろうと思って時計と金を預けた。女中はそれを盆にのせただけだった。不安になった彼は宿の主人に、ちゃんとどこかに保管しないのかと尋ねると、主人はここに置いても絶対に安全であり、うちには金庫などないと答えた。一週間後に帰ってみると、時計は言うに及ばず、小銭の一セントに至るまで、私が残して行った時と全く同様に、蓋のない盆の上にのっていた」

●貧しさはあったが貧困はなかった

明治初め、英国公使夫人メアリー・フレイザーは「英国公使夫人の見た明治日本」（メアリー・フレイザー著 淡交社）の中で観察した鎌倉海浜での様子を述べている。

「美しい眺めです。—青色綿布をよじって腰にまきつけた褐色の男たちが海中に立ち、銀色の魚がいっぱい躍る網をのばしている。その後ろに夕日の海が、前には暮れなずむビロードの砂浜があるのです。さてこれからが子どもたちの収穫の時です。そして子どもばかりでなく、漁に出る男のいないあわれな後家も、息子をなくした老人たちも、漁師の周りに集まり、彼らがくれるものに小さな鉢や籠を差し出すのです。そして食用にふさわしくとも市場に出すほどよくない魚はすべて、この人たちの手に渡るのです。（中略）

物乞いの人に対してけっしてひどい言葉が言われないことは、見ていて気持ちの良いものです。そして物乞いたちも、砂丘の灰色のごとく貧しいとはいえ、絶望や汚穢（おわい）や不幸の様相はないのです。施し物の多少にかかわらず、感謝の言葉があっさり、しかもきちんと言われます。そしてたとえ施し物がなくとも、けっして不平を言ったり嘆いたりはしないのです」

さりげない文章のなかに本質が語られている。文脈からして観察は一回きりではなく、夫人はこの情景が好きで、時折訪れては砂丘に腰を降ろして眺めていたのではなかろうか。この雰囲気をして日本全域のこととするのは無理があるにしても、ここだけの特殊な風景とも思われない。

エルヴィン・フォン・ベルツはドイツの医師で、明治時代に日本に招かれたお雇い外国人の一人だが、郷里への手紙（明治九年（一八七六）一二月）の中で次のように書いている。

（前略）明治の知識人は己れの過去を羞じ、全否定する人びとだった……（中略）現代の日本人は自分自身の過去については、もう何も語りたくないのです。それどころか、教養ある人たちはそれを恥じてさえいます。

いや、何もかもすっかり野蛮なものでした……われわれに歴史はありません、われわれの歴史は今からやっと始まるのです、と断言している（「ベルツの日記」（上）岩波文庫四七ページ）。

フランスの実業家であるエミール・ギメも同じ印象を次のように述べている。

日本がヨーロッパの思想に関心を寄せるようになったとき、先駆的役割を果たした日本人は、私の考えでは、うわべだけみて劣等感におちいるという誤りを犯したのだ。たしかに、彼らは蒸気を使用した工場を持っていなかった。しかしなんとすばらしいものを彼らは持っていたのか。それらを理由もなく放棄しているのだ。日本は日本の風習をあまり信用していない。日本はあまりに急いで、その力と幸を生み出してきたいろいろな風俗、習慣、制度、思想さえも一掃しようとしている。日本は恐らく自分たちを見直すときがくるだろう。私は日本のためにそう願っている。（エミール・E・ギメ「東京日光散策」一八八〇年刊　新異国叢書第Ⅱ輯８）

あの絶対幸福のお子さんたちが、開国まもない日清戦争、次いで日露戦争を戦う兵士になっていくのだ。

●日本人は自らを映す鏡を持たない

ＮＨＫスペシャルは二〇二一年八月一五日、「開戦・太平洋戦争～日中英米、知られざる攻防」を放映した。その中で蒋介石の膨大な書簡を紹介しつつ、それを読み解き、蒋介石の考え方を次のようにテロップに流した。

一対一では日本に勝てないけれども、第三国の力も利用できれば日本に勝てるとみた。日本を引きずり込んで長期持久戦を行い、アメリカが参戦するまで待つ。

「親愛なるルーズベルト大統領閣下、極東の問題を解決する鍵をにぎっているのはあなたです」

大量の書簡を使った外交戦略や、巧みなプロパガンダによって英米の日中戦争への介入を推し進めていった、その経緯が明らかにされた。日本はかかる裏事情を知らないうちに一九三七年、第二次上海事件が勃発。これが、蒋介石が巧妙に準備した最初の対日戦になった。以降、全面戦争へと発展。蒋介石の戦略はずばり的中していった。（テロップによる

文章はここまで）

以上を鑑みて筆者は考える。

異民族こそ自分を映す鏡だ。が、海をへだてるがゆえに自分を鏡に映すことができない。その意味、自身を知らないし、海外の海千山千の謀略にはとても弱いのだ。

他方で、日本人は文字どおり無邪気であって、それゆえに自らを誤解したり、曲解したりしてだまされやすい。そういった国民性が、自分の国はダメな国なんだ、とかの思い込みになって、今日の不甲斐ない日本に結び付いているのではないだろうか。

●日本語を母語とする人びとの脳のセンサー機能

さて、日本人は世界にも稀な資質を有していると言えそうである。というのは、日本語を母語とする人びと（ほぼ日本人）は、以下に述べるような特異な才能に恵まれているからだ。これを活かすこと、これが国際貢献に寄与する道、と考えるに充分な根拠になりそうである。そのことを「右脳と左脳―脳センサーでさぐる意識下の世界―」（角田忠信著・小学館ライブラリー・一九九二年初版）から次に引用しよう。

一九八七年十一月に（キューバの首都）ハバナで第一回国際会議が開かれた。（中略）開会式の前夜にレセプションが開かれ夜更けまで続いた賑やかな歓談のなかでも、私は人々のざわめきにも打ち消されない、会場を覆う激しい虫の音に気を取られていた。（中略）なるほど暑い国だなと感心して、周囲の人に何という虫かと尋ねてみたが、誰も聴こえないと言う。…パーティーも終わって私は若い二人（男女）のキューバ人と帰途についたが、静かな夜道には、先ほどよりももっと激しく虫の音が聞こえて途切れることがない。私はあくまで虫の音にこだわって、虫の鳴く草むらの方向を指しては反応を尋ねることをくりかえしてみた。二人は立ち止まって真剣に草むらに顔を寄せて聴き入るのだが、何回やってもその夜はついに聴き出すことができなかった。

二人は不思議そうに顔を見合わせては、お疲れでしょうからゆっくりお休み下さい、と言うばかりであった。親切な二人と毎日行動を共にしてきたが、三日目になって男性がはっきりと気づくようになったが、女性の方は一週間してもわからないままで終わった。（引用ここまで）

虫の声を聴く文化をもっている日本人は、それを詩や歌にしたりする。

草むらや、コロコロと鳴くコオロギよ、コオロギよ。松虫は、チンチロリン。スズムシは、リーン、リーン、ウマオイは、スイーッチョン、スイーッチョン、と、鳴き方は決まっている。初夏のチーチーと鳴くニーニーセミに始まって、真夏、ワッシワッシのクマゼミ、初秋のカナカナカナ…のヒグラシ、ツクツクツク、ジュグリッショ、ジュグリッショ、ジュグリ

ジュグリショジ〜〜〜〜、ツクツクボウシのそんな正確な旋律を私たちなら知っている。

ところが、アメリカ人にはそうは聞こえない。そもそもアメリカ人が虫というとまず思い浮かべるのは、モスキート（蚊）、フライ（蠅）、ビー（蜂）など害虫の類らしいし、「insect」には「虫けらのような人、卑しむべき人」という使い方があるようだ。日本語でいうなら「虫けら」とか、蚤、シラミのイメージ。虫とは忌むべき生き物なのだ。


「さまざまの虫のこゑにもしられけり　生きとし生けるものの思ひは」（明治天皇御歌）

虫にも被造物としての想いがある、その鳴き声を聴けば判るのだ、という。

聴くことで感受し、感動もする。感涙する人さえあるだろう。そのような情緒を催すのが日本人だ。

感性も感受性も、感覚器官が外から受けた刺激を、知覚や感情に結びつけるという点では同じだが、相違といえば、感受性はおもに感情を起こす力で、感性は感情を理性に変える力のことであり、わかりやすくたとえると、虫の声を聞いてうっとりするのは感受性の力、それを和歌にして表現する力が感性の力である。

春の小川は「サラサラ」行くし、波は「ザブーン、ザブーン」と打ち返すし、雨は「シトシト」降る。擬声語・擬音語が高度に発達しているのが日本語の特徴でもある。

「日本語の脳を持つ人」というのは一般的には日本人であって、核心的な言葉は、聴くものに心理的な影響を及ぼす。そのような言葉は言霊といわれる。

雪がしんしんと降りつもる。しんしん、とは心理描写の言葉で英語などに翻訳できそうもない。日本語を母語とする人びとの意識の底には共通する潜在意識があって、これは民族の集合無意識と呼べるのではなかろうか。

●湯川秀樹博士の指摘

「右脳と左脳」の中に対談があって、その一人、湯川秀樹博士は次のように指摘している。なお、博士は戦後日本人で初めてノーベル物理学賞を受賞された方である。

「(前略)日本人は今までなんとなく情緒的であると言うていた。論理的であるのに対して、より情緒的であると言っていたのが、構造的、機能的、あるいは文化と言っていいけれども、そういうところに対応する違いがあったということが、角田さんのご研究ではっきりしたわけです。そうすると、そこで私が考えますことは、その違うということを活かすという方向です。違うということは上とか下とかいうことではなくて、その違いということを生かす。私は人文、社会関係の方にぜひ考えていただきたいのはその違いを活かすということ。違うがゆえに違う独創的なものが生まれるのである。西洋に比べてあかん、劣っているという考え方が根強くあったけれども、そういう受け取り方をしたら劣等感を深める一方です」(引用ここまで)

脳のセンサー機能についてより詳細な情報を得たいと思った。件の本には、これらの研究は「脳センサー 地震の可能性を探る」（丸善）にまとめ、一九八七年に出版された、とあるが、ネットで、本の出版は確認できたが販売されておらず、残念ながら内容を確認できなかった。引き続いて同じ文献二一五ページから引用しよう。

出版一ヶ月前後の十二月十七日、千葉東方沖地震が起こった。これは稀に見る大きな地震で、千葉県内で屋根瓦が破損する被害が多発した。その後の房総沖地震と、これまでに東京周辺を震源地とする数十回の地震前後の脳のスイッチ機構の反応から、ツノダテストによって足の下の地殻ストレスの分布とその強度を求めることが可能であることがはっきりしてきた。脳のスイッチ機構は地殻ストレスを検出する鋭敏なセンサーとして働くから、物理計測では検知しにくい、目で確認できない足下の地殻のストレスは、無意識で働く脳センサーによって初めて検知できる可能性が生まれたのである。（中略）これまでに、ツノダテストによって特定の地域が長期間にわたって高度の発振現象を示した場合には、地震活動が起きる可能性が高い。また、その地域から遠隔地に移動しない限り、測定者の脳センサーは正常化しないことは確実である。（引用、ここまで）

やはり理解しにくい文章なのである。右は、地震活動がある場合には脳が異常値を示すということを説明したいのであろう。とはいえ、ツノダテストは、他の研究者等には再現性が確認できないこと、などの多くの批判もあり、立ち消えとなっているようだ。地震対応技術は日本のお家芸である。世界には、日本並みの地震国も多々ある。角田理論を立ち消えにせず、何らかの貢献策に結びつけられたらいいのだが。

角田忠信博士の研究はともかくとして、思い出すことがある。

「神は人を作り、諸々の生き物を治めさせた」との考えであれば、虫けらを人より低くみてしまう。ところが、日本人の自然観では人も虫も同じ「山川草木悉皆成仏」で、虫にも魂を認めている。言葉には霊力が宿るという「言霊」の思想は、その文脈から生まれてきたのではなかろうか。

大陸においては、耳を澄ませば異民族の軍靴の響き。民族蹂躙に戦々恐々として夜も枕を高くして眠れない。当然、感受性はその方面に鋭くなるだろう。それに比べて日本人は自然志向の民族である。英語など、情報伝達には合理的言語に思えるが、日本語ほどの心理描写を含むとは思われない。民族淘汰の荒波に生きる彼らとの差異は念頭に置いてしかるべきだ。

●日本人は美しい自然に育てられた

「日本人は、古より美しき自然に育てられて、美しくやさしき詩人たるべく養われたりき」

明治・大正初期を生きた評論家・歴史家の山路愛山は、日本人の特性を詩的にそう表現したと言われている（出典不明）。砂漠の民、森の民、それぞれ風土見合いの民族性が培われる。愛山の指摘はその一つであろう。環境と個性の関係を「われは海の子」の歌詞をヒントに考えてみよう。

生まれて潮に浴（ゆあみ）して　波を子守の歌と聞き　千里よせくる海の気を　吸いて童（わらべ）となりにけり

見る・聴く・嗅ぐ・味わう・触れる、五感のすべてで感受して「海」が刷り込まれている。

幾年ここにきたえたる　鉄より堅きかいなあり　吹く塩風に黒みたる　はだは赤銅さながらに

その結果、鍛え抜かれた体、「海まき上ぐる竜巻にも驚かない」強固な精神が培われ、「煙たなびく苫屋こそわがなつかしき住家なれ」との郷土愛が育まれた。

環境が教師となり、全身全霊で受け止めることで「海の子」というアイデンティティが培われた。自然と一体となって育つのが長年の日本人だった。だがそれは永久的にそうであり続けるのだろうか。モップが飛んでくる事例を取り上げ、それは日本人の魂の荒廃に繋がっていると論じた。これは劣化でしかなく、かつての大和魂、日本男児の魂をいかに回復するかは大きな課題と思われる。

ここだけの仮説だが、人類には「拡散本能」及び順応力、適応力がある。それゆえに、北極圏にも赤道直下にも住もうとし、住むことができた。同様に、森や砂漠やサバンナにも生存領域を広げることができた。おしなべて言うと、コンクリートジャングルたる大都市の人工空間にも宇宙船にも、月面の水がある環境にも生存を広げることができるだろう…。

とはいえ、適応可能な限界値があるかもしれない。即ち、不自然、非自然が昂じるとついには適応できない領域があるのではないか。映画「猿の惑星」は、そうやってＤＮＡが変化した生き物の物語ではなかったか。

世の中の変化のスピードは、時代が下るにつれて加速度がついてきた。

かつては世代間断絶を感じることはなく、生活様式や伝統文化の継承は容易だった。鎖国的な徳川時代、変化という面では緩やかで、ほぼ停滞していたといえるだろう。では現代はどうか。グローバライズし、特に、情報技術の普及以降、加速度的に速くなっている。これが「現代の若者は……」という、お年寄りの嘆き節につながり、世代間の断絶をもたらしているのではないだろうか。農山村ののんびりした感性と「生き馬の目を抜く大東京」のそれとの間には明らかに断絶がある。

つい半世紀前まで、虫の音や小鳥のさえずりは、庶民に慰安を与える中心的な存在だった。その担い手の多くは初老のご隠居だった。なりわいとは別に、魚釣り、ウナギ捕りなども含め、伝統の技をなし、後継者になる少年らに伝授する役目も兼ねていた。大地の恵沢を最大限、生活に取り込む知恵でもあった。以下に、そうして筆者に伝授された鈴虫捕りの伝統技術をご披露しよう。とても一人で編み出せるわざではないのである。

秋になると、ウエンハイ（上野原の意味）と呼ぶ台地に鈴虫捕りに出かけた。畑の境界が土手になっていて、土手の草むらをかき分けると、あちこちに直径三、四センチの穴がある。草をかきわけてフーフー息を吹きかけていると、もし穴の奥に鈴虫がいれば、夕方になったと勘違いしてか、白い触角をゆらしながらはい出てくる。そこでガラスコップを取り出して、鈴虫を中心において、片方にコップ、一方には手のひらを近づけて、コップの中に誘い組む。コップに入った鈴虫を、虫かごにポトリと落とし込む。鈴虫にわずかでも触れてはいけない。ふれたら、触角が折れたり足が取れたりして鳴かなくなる。野原を引き上げるころには、土ほこりで眉毛や汗をかいた部分がおしろいを塗ったように白くなった。ちなみにオスをスイカ、メスをウリと呼んだ。羽を閉じた姿を上からみると、それぞれスイカの種、ウリの種に似ているからだ。

何もかも手作りで、作業自体が楽しかった。小鳥の捕獲、養いにも同様の楽しみがあった。だが、昆虫類はいいとしても、小鳥となると、生類憐れみの令の精神は生きつづけ、野鳥保護の理論的なよりどころとなり、籠鳥愛好派と自然派との間に深刻な対立をもたらしていたのである。

第五章　農山村の文化的役割のレビュー

本章の骨子

国土には固有の風土がある。私たち日本人は、風土を親として親しみ育ってきた。文化も生活様式もそうである。社会は世につれ詩につれて変わりゆくものだが、伝統にはそれなりの理由も価値もあるはずだ。ただし、ある人たちだけの価値かもしれず、他の人から見ると有害なのかもしれない。迷った時の、温故知新、それが大切だ。伝統文化なるものを幅広く見直してみると、そこにルネッサンスの必要が見えてくるだろう。

筆者が糸島市で十数年、取り組んできたことの一つに、耕作放棄地の再生・活用を目指すプロジェクトがある。ＮＰＯ法人「糸島夢農園」だ。会員制度で、共に額に汗して耕作し、生産物の一部は会員へ、一部は市場へ売却、余裕が生じれば次の放棄地を再生・活用する、という仕組みで、農に親しみ、趣旨に賛同して加入する会員も増加の一途を辿っている。

ウクライナ戦争で、世界情勢は不透明感を増してきた。食糧輸出国は、輸出相手国を戦略的に選別するようになってきたと言われる。わが国は食糧自給率の向上が喫緊の課題でありながら、農業就業人口は減少の一途、少子化が人手不足に拍車をかけている。この傾向と逆の方向性が必要であるとするならば、当法人の仕組みは、各地の参考になるのではないか。

農の弱体化を防ぐためにも地方圏域の重視は必須であり、地方圏開発にも加速度をつけねばならない。その際、戦略的に重要なことは文化の振興だ。それなくして、地方圏域への円滑な人流は起こりにくいだろう。

以上の仮説を念頭において、かつて庶民に共有されていた楽しみ方を山村文化と銘打って、その功罪や地方振興への寄与の度合い、といったことを論じてみよう。

その方法は、知人十数名に対して上記の楽しみ方の情報を与え、意見・感想を折り返しいただくものだ。今はやりのオンライン会議と同手法である。

●楽しみ方その一「瀬釣りの美しさ、楽しさ」

筆者の郷里は、霧島山の北ふもと、大淀川の支流、岩瀬川、その支流の石氷川の流域にある。中学時代、そこでの楽しみは、瀬釣りをやって夕暮れにはウナギ針をしかけ、夜明け前には引き上げに行くことだった。

わずかに日が西に傾き始めるころ、初心者が釣りに訪れる。台所の排水で育つミミズやアオムシ（キャベツに付くモンシロチョウの幼虫）を使う者もいれば、川で餌を採集する者もいる。上手くなれば、小石をはぐってカゲロウの幼虫「セムシ」を腕にペタペタ張り付けて餌にする。ゴムシと呼ぶトビゲラの仲間もよい。瀬釣りは、たいがいこの過程を経てうまくなる。

次には、仕事を終えた牛馬が訪れる。膝まで瀬につかり、水を飲んだり体を洗ってもらったりするうちに、毛ばり釣りがやってくる。

膝まくりして浅瀬にはいる。竿は四メートル弱。片手に竿、もう一方に、瞬時に開閉できる布袋を持ち、釣れたハヤを投げ入れる。

夕陽に光る川面にて、釣り竿を振りまわしながら上下流を行き来するうちに、袋にどんぶり一杯分の魚がたまる。この場合、毛ばりをテグスの最先端に一つ、次にウキ、その手前側に毛ばり数個つけたやり方で、すべての毛ばりが水紋を作るように竿をあやつる。まっ赤な毛ばりはショウジョウ、黄色と黒はハチ、薄緑をカゲロウなどと呼び、時期によって食いに違いがある。

釣り糸を垂れて流れを見つめていると、いつしか流れにさからって、上流へ上流へと進む錯覚におちいる。晩春の夕陽が赤々と山の端におちていく。はじける子どもたちの声も消えて、笹やぶも、石崖も山も森もしだいにうすれて混然一体となっていくとき、自分も大地とひとつ、それを実感するひと時で、まことに幸せな時を持てるのだが、釣り糸を垂れる者ならば誰にでも訪れる当たり前の幸だった。

毛バリ釣りとは区別して蚊頭釣り（カガシラつり）というのがある。四メートルほどの竹竿。釣り糸は、馬の尻尾の毛を、一〇本、八本、…と端末になるほど細くして、突端に毛ばりを一つつける。すると竿から毛ばりまででしなやかなムチになる。ハヤが群れた辺りにビュンと振り下ろすと、すぐに当たりがある。モドシがないので途中ではなれ、放物線を描いて飛んでくる。それをすくいとる。直後、竿は振られて次の魚が宙に舞う。入れ食いなのは、蚊柱が立って水面が盛り上がるほど魚が群れているからだ。

足ではすべる瀬の底を探りながら、片手に竿、片手に魚受けを持ってゴミのような蚊の頭を振り下ろす。川面につくか否かの瞬時、アタリにあわせて引き上げ、白銀の魚が飛び込んでくるのを空中で受け取る。次の瞬間ムチ先は水面に向かい、毛ばりが落ちた次にはひきあげている。もろ手が自在に動いてこそ次々と魚はたまっていくのだった。

深い大気のもとでひとり川面に接していると、いつしかとうとうとした流れも瀬音もいずこかに去り、我を覚えるでもなく忘れるでもなく、大自然とひとつとなって時の流れもなくなっている。西日を受けてギラギラ輝く川面、瀬に立つ釣り人の黒いシルエットが美しかった。落日まで至福の小半時が過ぎて、そそくさと河原に上がってはらわたを出す。その時刻になってはじめてウナギ針の仕かけの時となるのだった。

●楽しみ方その二「小鳥飼いに見る日本人の美意識」

揚げヒバリの鑑賞

わが国で、小鳥の鳴き声を科学した最初が川村多実二博士であろう。研究成果は「鳥の歌の科学」（川村多実二　中央公論社・昭和四九年版）に収められている。また小鳥の飼い方について著名な図書は「小鳥の飼い方全書」（矢野隆太郎・平岩堅太郎著）がある。野鳥の捕獲や養育が禁止される以前はごく当たり前に、通りのご隠居さんらが飼っていた。自分の慰安のためではあったが、同時に、街行く人びとが喜ぶのを見て喜ぶ、といった風流な趣味でもあったのである。

さて、以下、小鳥の習性などすべての説明は断らない限り「鳥の歌の科学」によっている。

ヒバリは地域ごとに鳴き方に特徴がある。中でも愛知県、岐阜県、特に、各務原（かかみがはら）のヒバリは有名だ。

その日は各務原で養成された鳥がほとんどだったが、一羽だけ今村地方でさえずりを学んだヒバリが混じっていて、それがさえずりだしたとき、並みいる観客の中から異口同音に、あぁ、今村じゃ、今村じゃ、という声が上がった。

その話を聴いて筆者は驚いた。学ぶ熱意もすばらしいが、鳴き声をわずかに聞いただけで、どの地方のヒバリかを言い当てるという、聴衆にも驚かされた。先ほど釣の醍醐味の話をしたが、筆者の郷里でも河原周辺には田畑が広がってヒバリが空高くでさえずっていた。菜の花畑に入日が次第しだいに薄れるなか、ヒバリはカケラのように小さくなって風に流され、上下左右に揺れながらピーチクパーチク、ピーチクパーチク……途切れることなくさえずりつづけるのを、あごが痛くなるほど上をむいてながめていた。空は次第に黄金色が色濃くなっていく。そうして過ごすうちに、河原に降りてウナギ針をしかける時がやってくるのだった。

銘鳥の鳴き方を籠に入れた若鳥に聞かせることを「付け子」という。ヒバリも先輩鳥の鳴き方を模倣する習性があるので、学ばせたい先輩ヒバリが空に舞ってさえずっている、その真下の野原にヒナを持ち込んで聞かせる。これが「ヒバリの学校」である。こうして各務原には、多い時には数十人の愛好家が、中部地方はもとより、関東地方からまでやってきて籠を並べて学ばせるほどであった。

芸鳴（わざなき）

「鳥の歌の科学」には「出雲野鳥の栞」という書物に次があることを紹介している。

鈴巡りとは鳴音にあらずして、鈴音と地鳴きとかわるがわる同一文句を五声ないし十声も鳴き、次から次へと順序よく鳴き方を替えるうちに、まもなく次の鈴鳴きにかかることなり、換言すれば様々な鈴鳴きをクルリクルリとかわるがわるに鳴く、これを間合いよくして鈴巡りよしとす。

松江の有田と言う人物は、ノジコについては自他共に認める最高権威者といわれたが、一気に鈴八種を鳴く銘鳥を仕立てたという。

このように、ある鳴きパターンができる種類の鳥を「鈴もの」と言っている。たとえばウグイスの地鳴きは、ジェ、ジェ、ジェ、である。地鳴きのほかに、歌を構成する基本的な鳴き方、ホー、とか、ホケキョ、ケキョケキョ、ケッ、などを鳴きの単位として持っている。鈴ものとは、この単位を組み合わせていくつかの鳴きパターンを持つに至った鳥のことで、それを順序立てて鳴くことを、鈴渡り、または鈴巡りというのである。

……芸五種を全部そろえておれば理想的で、これを五段の鳥とする。諸鈴を基としてその他に併せ持つ芸の数によって段を数えることになっており、こういう芸を適当に取り合わせてさえずるのを「芸鳴(わざなき)」という。これこそ和鳥のうちの鈴ものの最上級に位するもので、西洋におけるローラーカナリーの歌節養成に対照せしむべき東洋における鳥歌の人為的改良の極致というべきものである。

引き続き、「鳥の歌の科学」から。

ウグイスの鑑賞

鳴き合わせ会のなかで最も貴族的なのはウグイスの場合である。ウグイス同士はあまり接近させるわけにはゆかないので、たいてい寺町をえらび、両側に並ぶ寺一軒ごとに一羽をおき、聴き手はその寺を順番にめぐってきくようにしてある。期日は三月末の日曜日か四月三日の神武天皇祭日あたりが多い。寺の門に達筆で何市の某氏出品と肩書して「御代の春」とか「遷喬」とか、鳥の名前が張り出してあるのを見て、庫裡の玄関から上がると、飼い主ご自身、夫人または娘さんがおられて、座布団をすすめられ、お茶をご馳走になる。時候の挨拶やら鳥の噂などをちょっとしてから、本堂へ行くと、明かり障子の近くに、蒔絵か何かで美しく飾られた籠桶（こおけ）が鳴台の上に載せてあり、その中のウグイスは、何分かの間をおいて、籠桶が震動するような強い声で法々華経を歌い、時にはピッチョピッチョと「谷渡り」をはさむのを、畳四、五枚を隔てて謹聴するというふうである。なごやかに暮らしていた当時、近隣の村々から参加した飼い主が、神社、お寺、大屋敷などの門前に、愛鳥の名前を墨で書いて張り出し、聞き手はそれを順番にまわりながら点数をつけていく。それは秋の菊花、盆栽の品評会にもまさる優雅な催しであった。

全動物界で最も発音機構に恵まれている鳥類の鳴き声は、時の古今を問わず、民族の甲乙によらず、つねに人類の深い関心を引き起こすもので、あるいは、歌謡詩文の題材になり、あるいは吉凶禍福の迷信を生むなど種々人類の生活と交渉をもつものであるが、それを科学的研究の対象とするようになったのは、ごく最近のことで、専門の鳥學書でも、鳴き声に関した記事を載せたものは未だ何ほどもないありさまである。

鳴禽を籠に飼ってその歌を楽しむ人は、わが国の都鄙を通じておびただしい数に上り、鳥の良否を批判する耳と雛を育てて銘鳥をつくり出す腕にかけては、日本人がおそらく世界一と思われる。（中略）一般に、各人自ら長年月にわたり、飼育上の苦心を重ねた後、師父の口授秘伝を受けついで、ようやく物になる技能だと思われている。（引用終わり）

以上は一九四五年より以前の認識である。神武天皇祭日という戦前の祭日を紹介しているることからもおわかりいただけるだろう。筆者はその一端を垣間見た幸運児であった。

さて、楽しみ方二つを紹介した。それらを山村文化と称するとして、現代においていかなる価値、あるいは相剋の様が見いだせるだろうか。オンライン会議によって何らかの合意にこぎつけたいと願っている。

●山村文化・オンライン会議

司会者（＝筆者）かつて、生類憐れみの令があって殺傷を戒める価値観が支配的であったが、裏では捕獲禁止のイノシシを山鯨と称して食べていたように、野鳥のままを愛でるか、あるいは籠鳥として銘鳥に育てて鑑賞するか、双方の見解が対立しており、国民的合意には達していない。というよりも、法律で捕獲禁止にしたがために人びとの心が小鳥に無関心になっているのが実情である。

小鳥から心は去っているのに、今更こんな話をする意味は何だろうか？　との疑問もあるだろう。しかし地方圏の充実を進めるにあたって、自然の貴重な資源としての小鳥とのいい関係を構築したいのだが、いくつかのファクターが関連しあって事情を複雑にしている。一つは、野の鳥そのものを愛でる愛鳥精神の流れ、今一つは、飼鳥として鑑賞する流れである。今日、野鳥を捕獲することは犯罪行為であることがかえって無関心を助長し、野鳥の自然な生育環境をうばっている側面さえ見られるのだ。

例えば ヒバリを考えてみるとよい。いったいどこに営巣しているのか？　メジロにしても、捕獲をしていないのに個体数の激減を招いている。即ち、野鳥の生育環境は悪化の一途をたどっており、ひいては我々の環境悪化へと連なっているが、マスメディアに登場することもないし、誰一人、気にする様子もない。

愛鳥精神の流れについては対立的な二つの流れがある。一つは、先に紹介した川村多実二の思想であり、積極的に籠鳥として愛鳥する立場。もう一つは、中西伍堂の流れだ。伍堂氏は、一九三四年、氏が数えの五十歳の時、雑誌「野鳥」の発刊とともに「日本野鳥の会」を創立された。その目的は、鳥類愛護の思想の普及と、鳥類研究の推進である。彼の最大の著作は「愛鳥自伝（上・下、平凡社ライブラリー」と言えるだろう。その中に、彼の信念と理想を見ることができる。

一、日本古来の「飼い鳥」の悪習を根こそぎ追放する使命を雑誌「野鳥」に持たせたい。

二、自然の山野の鳥からそのまま精神的慰藉を受けるだけの風習を作り上げたい。

三、山野の鳥をそのまま楽しみかつ尊重することは、そのすみかである山川草木を尊重することにつながる。すなわち自然尊重の気風の作興となる。

そのほか、鳥を媒体として、相反する道を歩む芸術と科学を協調させたいこと。文明は即文化ではない、いい文化が内にあってこその文明でありたいこと。このことで、人生は浄化されて人間は豊かになる、という究極のゴールが示されている。

右に見たように、籠鳥是認論と否定論、二つの考え方があるが、事実上、中西伍堂の精神が法律化されて捕獲が犯罪行為となって国民は白けてしまっている。ここで、野鳥の生息環境の悪化という視点から、戦後の人工林化についても触れておきたい。

戦後、わが国は荒廃した山林を立て直すべく、一九五〇年（昭和二十五年）から二十年間に亘って自然林を人工林に改変した。総面積は一、〇五〇万ヘクタールだが、延長千キロ、幅百キロに相当する広さである。森林面積は国土面積の七割。その四〇%を、国有林はもとより私有林も、杉、ヒノキの人工林としたのだ。号令をかけたのは農林省である。ほとんどは特段の反対もなく猪突猛進したが、宮崎県の綾町は断固反対して自然林たる照葉樹林を守り通し、今や、青葉若葉の光り輝く地域で訪れる人が絶えない。

杉やヒノキを食樹とする昆虫は少ないために小鳥の餌がなくて営巣の場にならない。その結果が小鳥の個体数の激減である。晩秋の熟柿には鈴なりにメジロが来たものが、今や数羽になり、以前の広辞苑では「群棲する」という表現だったものが、現在の辞書では「小群化」に替わっている。ちなみに、花粉症という国民病は人工林化以前にはなかった。

そこで問いたい。各位は、カゴの鳥の否定論、肯定論のいずれに与されるであろうか。あるいは、何らかのコメントをいただきたい。（筆者の趣旨等説明終わり）

以上の説明に対しての意見。
○捕獲禁止ではなく条件付き許可によって、国民の意識を、山野、花鳥風月に向けさせる。急がば回れ、これが今日の課題解決に役立つはず。理想一本やりではなく、中庸の道を探るべきだ。
○籠鳥を禁止して自然のまま愛でよ、というのなら、盆栽も錦鯉も生け花も、山野に自生したままを鑑賞せよ、との理屈になりはしないか。

○飼育を許せば子どもの幸せ感が増えますよね。あとは国民の選択じゃないですか。

○鳴かないメジロならば餃子の具にするのが唯物論の国だ(注・中国のこと。「野鳥売買、メジロたちの悲劇」遠藤公男、講談社α新書)。このことと日本の風流心を同列に論じるべきではない。

○播磨の俳人瓢水の句に、手に取るなやはり野に置け蓮華草、というのがある。小鳥だって同じ。森林での野鳥観察じゃだめなのか。人の方が自然の中に歩み寄って観察したり撮影したりすればいいのでは?

○野鳥に鳴き声や芸を教え込むのは人工的できらいだ。

○東京に住んでいます。ラッキーなことに、五月、新緑に輝く明治神宮ではメジロの高音を聴くことができるんですよ。ある新聞で、文壇の方ではないかと思いますが、何という鳥かしらないが素晴らしい声でチリチリと鳴いていた、とのコラムがありました。読んで驚きましたねぇ。メジロを知らんのか、と。

○私は三姉妹で育ち、男の子の遊びには全く縁のない子供時代を過ごしました。男の子たちがどんな遊びをしていたか、やっとわかりました。
○そういった事情を勘案すると、一定の法的縛りはあっても、小鳥の捕獲、飼育を認めるべきだ。

次は二〇一一年、前田幹雄・日本野鳥の会・宮崎県支部長の報告。

テーマは御池の環境激変をどう見るか、です。御池、というのは霧島連山の最東端にある、水深一〇四メートル、周囲四キロ(メートル)の火口湖です。火口湖としては日本で最深といわれています。

天敵のオオカミ不在で霧島連山でもニホンシカが増え、霧島山系の森林の乾燥化が進んでいます。通称「野鳥の森」も、翡翠のように美しい鳥ヤイロチョウの渡来に黄信号がともっています。霧島連山の東端にある御池が全国で唯一、オープンのために、毎年全国から大勢の人がやってきて、一部の人が追いかけ回すという、人的な圧力に加え、シカの食害も年々ひどくなって、森の乾燥化に拍車をかける、すると、主食のミミズが不足してヤイロチョウの渡来が減る、二〇一〇年、飛来したのはわずか一つがいだけ、という有様です。新燃岳の噴火による降灰と噴石が加わって、渡来しなくなるおそれまで出てきました。雨によって灰は流されましたが、残された噴石がすごいです。

「野鳥の森」は表面的には緑いっぱい、ですが、シイやカシ類の後継木がまったく育っておらず、反対にシカの食べないツバキ、バリバリノキ、サザンカなどが多くなって、乾燥化に比例して倒木も目立ち、森が急激に変化しています。

もともと森は、地表にコケ層があり、草本層、低木層、亜高木層、高木層からなっているのですが、御池ではシカによって、草本層（シダ類）から始まり、低木層を代表するアオキなどが消えてしまい、代わりにシカが食べないマムシグサ（テンナンショウ）やイズセンリョウなどが残り、このため森を囲むようにあったマウント群落がなくなって、風の通りがよい、乾燥化した林床部になっているのです。

こうしたシカによる食害は九州中央山地がひどい。えびの高原も周辺のスズタケの群落がなくなって、見通しのよい明るい林相になり、倒木も多い。ノカイドウもシカよけの防護ネットに守られて、ひっそりと命をつないでいる有様です。大型台風がくれば山地崩壊がおこると指摘する専門家もおられます。御池の森は人、シカ、降灰と噴石の三重苦にあえいでいるのです。

司会者（筆者）

「多くのご意見をいただき、ありがとうございました。一つの結論に収斂させるのが目的ではありませんが、何らかの合意が欲しいところです。なぜならば、地方圏域の新しい文化的開発が必要で、その方向性を出したいと思っているからです。

最後に、筆者の体験談を披露させてほしい。二点あって一つは、私はメジロを飼っていたのですが、高校二年生の秋のある日、籠の鳥は山から切り出された材木に等しく死んだも同然だ。憐憫の情を催さないのは、精神修業が足りないからだ、と言われて煩悶し、眠れぬ一夜が明けた朝、餌をやることを忘れて学校に行った。いかにショックが大きかったか…。放課後近くになって給餌の記憶がないことに気づいた。飛んで帰った。が、すでに冷たくなっていた。丘の上に駆け上り、藪の中に放った。羽毛のように軽かった。何年ぶりかで涙が出た。以来飼うことをやめた。そして高校を卒業して都会に出るのですが、私は思いました。

野の鳥のように自由人だった僕は、これからは（社会人となって）籠の鳥になるんだ、と。その煩悶は貴重だと思うのです。それから六十五年が経過しました。どちらが正論か、ではなく、どちらも正論だと思っています。真理は中庸である、と考えるからです。籠鳥の禁止も解禁も、どちらも正しくて白か黒かの決着ではなく、グレーゾーンの道を探れないかと考えています。

●中庸にこそ真理が宿る

八「聞いたか。都会派と田舎派のせめぎ合い」

熊「聞いたよ。面白かった。真理は中庸にあり、とかなんとか。おいらも中庸のプランを作ってみたいと思ってたんだ。そうそう、我が愛する国土をどう活用するかって話だ。籠の鳥も野の鳥も認めるってことだが、一見、むずかしそうだな」

熊「真理は中庸にあり、グレーゾーンが最も幅広く、ほとんどの主張はここに収まる。意見を異にしても合意可能だ」

八「ゾーニングしかないんじゃないか。両派が共存できる具体策は。つまり、こういうことだよ。国立自然公園や、県立自然公園では、歩道や案内板、山小屋以外の人工物を認めない。その下流や周辺が半自然派の人工ゾーンだ。ここだよ中庸ゾーンは。ここをどう設計するかだ」

熊「あい分かった。自然観察館を作ったらどうかって思ってたんだ。中には、タブノキとかが植わった大きな建物、屋根は日光を通すガラス製。そこには鳥籠もあって中には餌もおいてある。小鳥は自由に出入りして、餌をついばむ。春は籠の鳥となってさえずるんだ。観察館では巣もかける。小虫もいるし、チョウも舞う」

八「なるほど、人工林よりもよっぽどましだね。とすると周辺の杉とヒノキをまず伐採するってことになる。農薬散布なんて禁止だな」

熊「そうそう、ここ辺りが農薬禁止ゾーンだ。そしてこのゾーンから真っ先に人工林を伐採して自然に戻していく。そうすると、営巣もできるから野鳥も徐々に数を増やしていけるってもんだ」

八「マイスター制度ってどうか。銘鳥を産出する地域を、鳥獣保護法の適用外地域に指定して自然特区とする。特区では飼育の資格者をマイスターとして認定し、マイスターに限っては、飼育の方法、数量等の厳格な規制の上で、小鳥を捕獲、飼育できるようにする。マイスター以外で飼育を望む者は、マイスターとの師弟関係を結び、その指導の下で捕獲と飼育を行えるようにする。鳴きやむ秋から春先にかけては野に放つ手もある。

春になると多くの観光客が訪れるようになって過疎の村も大いに活気づくぞ。そうして野鳥や森林についての国民的な関心が高まってくる。マイスターは日本の伝統の継承及び地球環境研修の一翼を担い、誇り高い生涯を送ることになること、間違いなしだ」

熊「それがグレーゾーンの在り方ってわけだな。やっと結論がでたな。籠の鳥か野の鳥かの…」

八「水たまりにはトンボが復活する。これ、天然のビオトープだ。モンシロチョウの産卵用にキャベツ畑を作る。すると、噴水のような乱舞が見られるぞ」

熊「トンボが激減している。ハラビロトンボ、ショウジョウトンボ、チョウトンボ、コシアキトンボ、無数にいたトンボ類は、絶滅したといいたいほどこの田舎でもみかけない。日本人なら秋津洲(あきつしま)の再現を夢にみてくれ。一歩でも近づけたいから」

八「湿原は、天然のビオトープだ。裏山、里山に無数にあったから、日本は文字通りの秋津洲(あきつしま)だったんだ。さて自然観察館に話しを戻すか。あれなら子どもの楽園になる。でもお金がかかりそうだ」

熊「入場料を取るなんて野暮なこと考えちゃだめだぞ。逆だ。見学者にはポイントを与え、風土の子になる実感を与える」
八「朱鷺の分散飼育をやったらどうだ。すると天然のドジョウがいるぞ。他にもサワガニやカエル、昆虫などが増えねばだめだ。となると、農薬が混じらない清水があちこちに必要になる」
熊「だからゾーニングがいるってことだな。こいつは投資だ。見学者も倍々増だよ。宿泊施設もいるぞ」
八「地権者も賛成するよ。夢を見るだけでも楽しいな。復活の狼煙だ、没落の日本の。で、どこでやるんだっけ」
熊「募集するんだな。子育て環境のためなら政府がいくらでもお金を出すさ」
八「全国十か所程度、公募したらいいってことか。各県、知恵比べだ。そうそう、九州では、夢アイディアプロジェクトをやってるぞ。全国から夢アイディアを募集して、面白いアイディアは実現に汗をかく」
熊「へぇ〜。面白そうだな。創意工夫でなんとでもなるんだね」

八「創造的日本のためにやること、いっぱいあるぞ。風土と文化。これだ。現代版ルネッサンス運動を始めるか。あちこちで祭りの復活も始まっているぞ」

●遠く聞こゆる春の潮の音

コロナ禍という暗く長いトンネルを抜け出して、中止、中止に追いやられていた各地の祭りがよみがえってきた。以前と異なる時代の胎動を感じる。主催者も観光客も一緒になって盛り上げる、そんな気運である。

祭りはモノ的にはムダな消耗でしかない。多くの火祭りはモノ的には危険でさえある。でも集う人びとには情念がある。祭りが盛り上がるのは、それまで心が乾いていたからだ。夜空を焦がす焚火には偉大な何かを祀らう気分がある。これから変わる、これから始まるルネッサンスの本質は心の充実を求めるものになるだろう。

モノから心へ。これが、時代の、日本の、潮流である。食文化、衣服文化、住まいの文化。花鳥風月の心、全てがこれにはせ参ずるだろう。文化の発展こそ平和日本の成長の原動力でなければならない。

世界に羽ばたく前に、どうしても一つやるべきことがある。それは 福島第一原発事故の後始末だ。それなくして日本は大手をふって羽ばたけない。国の威信をかけ、国を挙げてこの責任を果たさねばならない。

●公から私へのシフト

日本をダメにした原因をいくつか挙げてきたが、何か重要なことを忘れているような気がしていた。何だろう、と考えてきたところ、これではないか、ということに気づいた。結論から言うと、「国政の場において、公より私へのシフトが進行しているのでは？」ということだった。

公に徹した政治家を、元自民党副総裁の二階堂進氏（故人）にみて、雲泥の差異をみたからである。

彼にはただ一度きりだが、仕事でわずか数分お会いした。互いに、仕事での出会い、つまり公人同士の出会いである。もちろん地位には天と地の差があるのだが…。

昭和五七年（一九八二年）七月二十三日（金曜日）夕刻、一瞬にして二九九名の犠牲者を出した長崎大水害。時間雨量、最大一八七ミリ。三時間、集中豪雨が降り続いた。

古くは長崎街道と呼ばれた国道三四号は、一〇キロに亘ってズタズタに寸断され、袋小路の長崎市は日に日に窒息状態が進んでいった。それを打開するのが、国道三四号の早期啓開であった。

私はその復旧工事の陣頭指揮をとる立場だった。最初の一週間は滝つぼに墜落したようなパニックがおこる。十の努力が一しか活きず、かねてならば十時間かかることを一時間でやらねばならない。

テレビでは連日、報道関係のヘリコプターが空からの映像を流し、ヒドイヒドイをくり返していた。一度でもいいから同乗させてはもらえまいか、複数の企業に嘆願しても聴いてもらえなかった。深夜まで鳴りつづける電話が止んで初めて災害現場を見た。災害発生五日目の午前二時。空気は澄んで美味く、満天の星が美しかった。

その翌日、六日目（木曜日）「NBC長崎放送」にてテレビの生放送に出演、国道の仮復旧の完了を「被災より一か月以内に挑戦する」旨宣言。誰も本気にしなかった。なにせ世間では、一年かかるらしい、などと噂していたから。

事務所に帰ると、担当係長から殴り書きのメモが渡された。「三〇日（金）午後、自民党の二階堂進幹事長が訪問されるが、非公式であるので（上部機関である）九州地方建設局からは誰も随行せず、所長は県の意向に沿って対応せられたい」とのことだった。予定の日は被災日から八日目のことになる。

「その程度の対応でいいのだな」と軽い気持ちでいた。

県の知事部局からは、山地斜面の大崩落の現場にお連れするので説明を頼む、ということだった。二階堂幹事長は、参議院議員の坂野重信（元建設省事務次官）氏と隠密に（ただし、車には知事が同乗）災害現場を訪れた。私は現場で待機していた。そこに知事車が到着した。藪で見えないが、手前側では長さ八〇メートルに亘って道路が流出して谷間になった箇所を迂回する工事にかかっていた。それは藪陰で見ることができない。その先に工事未着手の大規模山地崩壊があった。私は略図を書いて説明しようとした。が、崩落だけをみて「何もやっていないじゃないか坂野君」とイライラした口調で幹事長は言った。

ＶＩＰの訪問に対しては、普通ならば地元側が大勢で取り囲んで説明する。一通り見学すると、握手して、よろしく、で帰っていく。だがここではみすぼらしい男が部下と二人だけだった。あれほどの実力者に一人で対応したのは、古今東西、私しかいないのではないか。幹事長は所長の私には目もくれず、握手もなく、仏頂面のまま車中の人となって引き返した。あとで坂野氏より、霞が関には「これは（建設本省の）道路局を挙げてやるべきことではないか」と電話したから、とのことだった。

私にはショックだった。説明者には目もくれず、一方的に無策と解釈して引き上げた。人間というのは人によく思われたい生き物である。が、こうも公人を無視した人物も珍しいのではないか。だが、それだからこそ並々ならぬ政治家の魂をみた思いがした。その印象だけが脳裏に刻まれて、私は事務所に引き上げた。何だろう、何だろうと考えた。思うに、全身全霊でひたすら国を背負い、かつ、毫も「私」がない政治家をみた。そこに衝撃的な感銘を受けたのだ。

反省するに、自分にも甘い考えがあったのではないか、と思えた。

悔しさだけが残っていた。自室にこもるうちに、むらむらと闘志が湧いてきた。一切の言い訳的な感情が一掃された。

「プレゼンテーションはまずかった。だが本質は何ら変わらない。なにくそ。今にみておれ……」

幹事長に闘いを挑む気になった。柔道の精神が活きた気がした。自室で四股を踏んだ。闘志がみなぎってきた。一切の迷いが吹っ切れた。「よ〜し。おれが思うとおりにする」

滝つぼに落ちた頭が水面に浮上するころのことだった。

翌々日、バス一台を貸し切って報道機関の記者一行（おそらく三十名近い）を現地に案内。復旧工事の一挙手一投足を説明、メディアを通して市民と共有することとした。

災害復旧とは、五頭の暴れ馬を乗りこなすゲームと見つけた。イ）復旧工事の技術的対処、ロ）被災地との良好な関係の構築、ハ）報道機関との信頼関係の構築、ニ、及びホ）地元自治体及び上部機関との円滑な連絡・意思決定。すべて容易ではないが、ゲームに勝たせていただいた。報復は、激務に精魂を使い果たして翌年四月一日付け異動後に、一年ほどノイローゼに罹患したことだった。

多くの教訓の一つに、全国の地方建設局へのヘリコプターの導入があった。これが後々の東日本大震災の折のくしの歯作戦へとつながり、また机上訓練の必要を訴えたことが

TEC-FORCE（緊急災害対策派遣隊）へとつながっていった。私心なければ必ず道は開ける、それも二階堂氏の魂あったればこそであった。（文献「7．23・長崎大水害・国道34号復旧奮戦記―精霊船が駆け抜けた！」長崎文献社）

あれから三十数年を経た頃、私は逝去された二階堂氏の実家を訪ねた。以下は「蘭は幽山にあり」（馬場周一郎、西日本新聞社、一九九八年）からの知識である。

蘭は幽山にありて自ら香る。

その花を見るたびに、人知れず努力し内から光を放つ人間にならねば、と二階堂翁は思った。その自作の句は終生心に刻む座右の銘でもあった。受験は要領わるく失敗ばかり。そこでアメリカへの留学を決意。一九三二（昭和七年）年、南カリフォルニア大学に学ぶこととなった。日米関係がつるべ落としに悪化する時代で、日本の実情を訴える遊説をして回った。事態は改善することなく、昭和十六（一九四一）年八月、最後の引き上げ船「龍田丸」で帰国した。紆余曲折があるのだが、当落をくり返しながら国政の道を歩んだ。

私が訪問した時、幽山の蘭にこそ出会えなかった。代わりに、咲き乱れる花々に、そして周辺の藪からおそらく十羽はくだらないウグイスの鳴き声に囲まれていた。花鳥風月の美しさ、そのものだった。

美しいふる里と苦難の道、その両輪があったからこそ、翁は棟梁の材として育たれた、と確信した。「棟梁の材は沃野に生ぜず」風雪に耐えてこそ大人物は育つのである。


八十二歳にして思うこと、それは二階堂氏のごとき、公に徹した人物が政治の世界から失せているのではないかということである。

二階堂氏であれば、以下をどう判断されるであろうか。

文書通信交通滞在費という国会議員に支給されるお金がある。これは国会議員に対して、給与にあたる歳費とは別に支給される手当であり、公的文書の発送費や交通費などの名目で支給されている。月額百万円であり非課税。領収書添付や使途の報告・公開、未使用分の返還の義務はない。こんなお手盛りがさしたる議論もなく決定・支給されているのは、この件に関する与野党の対立もなく賛同しているからではないのか。

そもそもかかる私（し）が混入して間接民主主義は成り立つのか。議員は公人たることを前提として国民は委ねているのである。一方では、何かあれば増税を目論む岸田政権。国民負担率は青天井で五割近い。国民不在どころか、徹頭徹尾、国民は搾取の対象にされているのである。

公私混同以前に、公私の見分けさえつかない体たらくをなんとしよう。やるせない思いだが、ではどうすればよいのか。私は問題を提起したら必ず対案を出すことにしている。たとえ、愚案であろうと珍案であろうと。

たとえば、一つのテーマにつき、国民の一定数の賛同（署名）があれば、党議拘束を外して議員の記名投票で賛否を問えるシステムを導入したらどうであろうか。結果はもちろん公開される。

テーマによっては、直接民主主義のシステムを導入することも有効かと思われる。メディアが本気度を出して国民の啓発を図れば賛同者も増加し、成功の可能性が出てくるのではないか。お手盛りの国会議員が自ら発議するはずはない。よって国政を当てにすることなく、可能なことから全国民的な運動を始めるしかあるまい。ここまで堕してしまった日本、再浮揚のためにも、マスメディアの方々に検討をお願いする次第だ。

第三部：：希望ある未来へ

第六章：：志、そして執念の力――この子らのために

本章の骨子

本書を書かせたのは、間違いなく筆者の三つ子の魂だ。そこでその生成期、および成長期の自分を語ってみよう。ここでは学校教育いかんで人生が大きく左右されたる例を示すことになるだろう。

「石走る垂水の上のさわらびの萌え出づる春になりにけるかも」

春先のメジロのさえずりを聴く時、思い出されるのがその句であった。そして思った。人は風土の子であって、風土と切り離されて生きるのではなく、他の生き物と同様、風土の一員として生きることが、最も楽なはずだと。

人びとは、労働を神聖視して苦役をいとわなかった。一方で慰安の方法を編み出してき

た。それが飼い鳥や池での金魚、錦鯉の飼育であり、盆栽づくりであり、伝統文化、というか伝統的道楽というか、として受けつがれてきた。それらは風土の子が編み出してきたものだった。

昭和のなかごろまで存在したそれらの継承者はご隠居さんらであった。通り行く人びとが、籠でさえずるメジロに感嘆の声を上げる時、飼い主の表情はなんと輝いていたことか！一家の大黒柱でさえ一日も早い隠居生活を夢見て息子の成長を願っていた。隠居生活こそ、人生のゴールデンアワーだからである。お年寄りが嬉々として過ごせる世相こそ理想である。どのような趣味趣向でもよい。要は、第一線を退いた初老の人びとが輝くこと、これをも政策目標としてかかげたらいかがだろうか（年金倍増論はすでに述べた）。

時代のスピード感が増し、そして地球が狭くなってきた。地球の裏側で起こったことが、即、明日の生活に響いてくる。

世界の食糧生産が不安定化している。このことを背景に、食糧輸出国は輸出を戦略手段として考えつつあり、仮想敵国には輸出しない場合も考えられる。ゆえに食糧自給率の向上はいくら強調してもしすぎることはない。

喫緊の課題となった農の復活、少子化克服のため、空き家になった古民家、小中高校など既存ストックが存分にある地方圏の最大限の活用。いずれも地方圏の重視の姿勢と重なっている。

第四次全国総合開発計画（四全総）の理念たる「多極分散型国土形成の推進」は活かさねばならない。その際、忘れてならないのが、文化の振興である。地方での地域づくりにおいて、箱ものだけで成功した事例はない。地域風土に根ざした大衆文化こそ興していかねばならない。

●郷里の小学校で十歳時の思い出を語る幸せ

二〇二三年（令和五年）三月十四日、午後、私は郷里の宮崎県小林市の東方（ひがしかた）小学校で、四年生十四名を前に、ある講話をしようとしていた。皆、誕生日を迎えると十歳。七十二年前、私も小学四年生の十歳。当時の担任が滝一郎先生で、その指導が私の生涯の生き方に大きな影響を及ぼしてきた。それにまつわるお話をしに来たのだった。

正面のスクリーンには図-7のような画面が映し出されていた。

図 -7

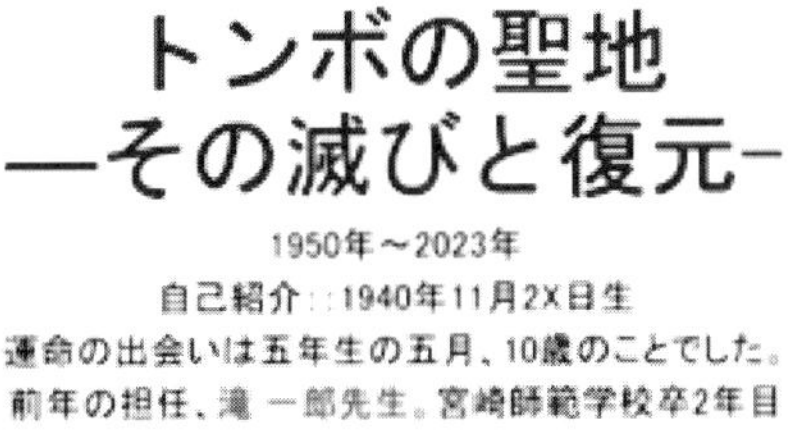

トンボの聖地
—その滅びと復元-
1950年～2023年
自己紹介：:1940年11月2X日生
運命の出会いは五年生の五月、10歳のことでした。
前年の担任、滝 一郎先生。宮崎師範学校卒2年目

七十二年前の五月、晴れた某日の授業をよく覚えている。

先生は師範学校出たてのほやほや。シダの専門で、山歩きが三度の飯より好きだ。

春の日差しが窓から差し込み、五月のそよ風が吹いてくる。

国語の時間で、誰かが立って教科書を読んでいる。先生は気もそぞろ、窓外の様子が気になって仕方がない。

「富満君、その先」。立ち上がって読み、終わって着席する。

「はい、そこまで、次、勝田く〜〜ん」

「先生。もう読み終わっています〜〜〜」ド〜〜ッと笑いがおこる。

「先生、国語は雨の日！　今日は理科！」（皆が異口同音に）「そうじゃ、そうじゃ！」

「う〜〜ん。じゃ、そうするか！　でも雨の日はきっと国語だぞ」

生徒は先刻、先生の気持ちを読み取っているのだ。

昆虫採集組は、手には捕虫網、腰には三角缶、植物採集班は胴乱を下げて、勢いよく野原に飛び出していった。田のあぜ道を一列になって、これはアザミ、これはナナホシテントウムシ、などと言い当てながら。そうして生徒たちは、昆虫採集、植物採集のとりこになっていった。

先生は、翌年、中学校の理科の先生として転任した。でも生徒の情熱はかわらず、週末には野山に出かけた。

運命の出会いは戦後六年目、五年生の春五月。その日は私一人だった。歩いて小一時間。大淀川の支流の支流、浜ノ瀬川の、知る人ぞ知る、陰陽石から徒歩十五分ほどの所。かねてのハイキングコースから外れて脇道に入ってみた。そこでアッと驚く光景に出会った。トンボの大群が羽を黄金色に輝かせて飛んでいた。朝日が、崖の上から斜めに差し込み、光線を受けた羽が光っていたのだ。

崖下には陽が射し込まず、日陰で飛翔するトンボは(目の錯覚で)見えなかった。種類も違う何十何百のそれらが、舞い上がり、舞い降り、斜めに、真上に、真下に、トンボ返りをくり返しながら。もう、勇壮というか、美しいというか。ポカーンと口を開いたまま見上げていた。

いっときしてふと水平に目を転じた。そこは湿原だった。イネ科の植物が点々と生え、白や黄の花をつけていた。そして足元を見た。じっと見た。

「あれ?」何かが飛んだ。その距離せいぜい二メートル。ハチかな、と思った。さらによく見た。すると、穂の先に、赤い、小さなトンボがいた！　なんと！　確かにトンボ。あまりにも小さい。それがハッチョウトンボとの運命の出会いだった。夏休みの自由研究の成果として昆虫の標本箱を講堂に出すと、夜になって滝先生がわが家に飛んできた。捕獲場所などをねほりはほり聞いて写真をパチパチ撮った。数日後、「町内で初めて発見」（現在の小林市。当時、小林町）との見出しで宮崎日々新聞に私の名前とともに掲載された。それから毎年、会いに行った。この湿地を、トンボン巣（ンは薩摩弁、トンボの巣、の意味）、後にトンボの聖地と呼ぶことにした。

以来、珍種にであうことはなく、移り気な中学生になると、情熱はメジロ捕りへとかわってしまった。

そのころ、食糧増産のかけ声とともに、湿原には農薬のホリドールがまかれ、稲が植わった。小河川のあちこちにも水泳禁止の赤い小旗が立った。この時点で聖地はほろんだ。稲はうまく育たず、次には杉の苗が植わり、そして放置された。戦後十四年（昭和三十四年）目の春、高校を卒業し、悲しく、そして後ろ髪を引かれる思いでふるさとを後にした。

大学を出て就職して焼石の上を裸足でとび歩く生活を送った。しかしながらあの日々を忘れることはなかった。雪国の寒い夜、あの情景を思い浮かべるといつしか安らかな眠りについた。トンボの聖地もその一つある。私は書き残したいと思っていた。癌病棟でつづったのが拙著「ハヤト　自然道入門」となった。

癌といえば当時は不治の病。良寛の言葉に「災難に遭う時節には災難に遭うがよく候。死ぬ時節には死ぬがよく候」とある。この覚悟以来、運命ががらりと好転した。

第一線を退き郷里にも帰れるようになった。何とかしてトンボの聖地を復元したいと思っていた。八歳年下の友人が志を共にしてくれた。

空と地表からジャングルを確認。マムシを警戒して長靴をはいて。やがて数名の地主が二束三文で土地をゆずってくれた。

二〇二〇年八月、彼のブルドーザーでジャングルを切り拓いた。発見時と同じく、染み出るほどの水しかない。三年後、底が見えるほど澄んできた。藻が生え、イネ科の植物が生えてきた。黒々としたオタマジャクシの群れが確認できる。専門家の見解では、復活はほぼまちがいなく時間の問題という。

一連の復元活動を知った東方（ひがしかた）小学校の校長先生から、小学四年生がＳＤＧｓの勉強をしているので、七〇年間の経緯を話してくれないか、という話がまい込んできた。

●日本の復活はこの子らから始まる

「一円玉の直径を知ってる人、手を挙げて…。いない？　二センチです。で、ハッチョウトンボというのは、頭からしっぽの先まで一円玉にすっぽり収まる大きさなんだよ」

体育館で話をしながら生徒たちにひ弱さを感じていた。日焼けせず色白。「目白押し」「トンボ返り」「雑魚寝」などという言葉を知っているか、きいてみた。キョトンとしているだけだった。

上品で野性を感じない。講話を終えて、率直に校長にきいたところ、即座にかえってきた。入学以来、コロナ禍で、楽しいはずの昼食は黙食だし、マスク生活で集団討議をすることもない、と…。

知らなかった。「あなたは、耐えにたえてきた子どもの心境をご存じか」ときかれた想いがした。

小さな胸で耐えた四年間。それにやっと気づかされた。恥ずかしかった。

「昔のようにわんぱくな子供は減っていますが、小林の子どもたちはすなおで優しいです。昔は勝手に自然体験をして、冒険しながら、自然と逞しくなっていました。今は意図的にたくさんの自然体験をさせ、素敵な大人と出会わせて、感性をみがく必要があります。学校・家庭・地域が一丸となって子どもたちをきたえ育てることが持続可能なふるさとをつくることにつながるでしょう。命は一つ、心は一つ、地球は一つ」と。

それが校長の生徒観なんだ。生徒たちの将来に「幸あれ」と心より願うことができた。そして、傘寿をこえた今「この子らのために」やれるだけやりたい、そう誓うことができた。るる述べたように、子どもが健全に生育するための環境は劣化する一方だ。

一人、二人の少ない子供を産み育てるのが今の時代。だから決して危険な目にあわせられない。

私は、桜の木から落ちた。途中の小枝に引っかかりながら…。深みにはまっておぼれた。上級生が手をさしのべてくれて助かった。そんな冒険をさせるわけにはいかない。そこで、絶対安心が保証された遊び場の整備が必要だ。

あちこちに「ビオトープ」を作れば、ミズスマシ、ゲンゴロウ、トンボのヤゴ、メダカらが帰ってくるだろう。それらを探すことほど、子どもがわくわくすることはない。この体験は必ず将来に活かせる。

つたない講話をおえて、現地の状況を確認しに行った。宮崎日々新聞、記者の熱意あふれる取材、現地踏査に任意参加された二人の女性をとおして、市民には環境問題への深い関心が共有されていることを確信した。女性の感性は益々大切になってくる。子どもの生育環境について彼女らの参加は必要不可欠だ。

●送られてきた感謝の寄せ書き

しばらくして担任の先生から、生徒全員の寄せ書きが送られてきた。私はさっそくお礼の返事を出した。

「鈴香先生、四年生の皆さん。人生必ずしも思う通りにはいきません。逆境もあります。そんな時、私の場合は常に励ましがありました。なんといってもその中心はトンボの聖地でした。それは生きる力になりました。こんなありがたいものに出会えた私は幸せ者です。皆さんもどうか、心の中で灯りつづけ、励ましつづけてくれる何かを見つけてください」

●恩師を偲ぶ

「ハヤト　自然道入門」の発刊後、郷里の小林で、有志が出版記念会を開催してくれた。その時、滝先生をお呼びした。以来、滝先生とのご縁が復活して年賀状のやりとりが始まった。だが、風のたよりに、先生が体調をくずしたとの報に接していた。

「あかとんぼ　あぁあかとんぼ　あかとんぼ」。この年賀状が最後になった。

先生がいたからこそ、オオムラサキの南限地が「小林市三宮峡」として昆虫図鑑に掲載された。マニアックな後輩がたくさん生まれなければ、志和池昭一郎君（ウィキペディア参照）と向田邦子さんとの台湾での飛行機事故もなかっただろうし、図書「蝶と蛾とサンスクリット学名解説」が生まれることもなかった。

こうも、様々な事件をともないながら今日までやってきた。「たかがトンボ、されどトンボ」であった。

第七章：：世界に愛される日本たれ

本章の骨子

ジョセフ・マーフィーの「夢は現実化する理論」は帰納的にも正しさが裏付けされたものなのだろう。ならば大いに夢を見る意味がある。とはいえ、夢が実現するとは限らない。しかし、夢を見なければ実現しようがない。だから夢を見よう。世界平和を志向する日本国ゆえ、どうやって貢献するか、その夢と実現した筆者の夢を示すことにした。

●緑の地球復元で温暖化防止を

無職の私の名刺には、「夢実現は自己実現」「緑の地球復元で温暖化防止を」と書かれている。何を意図しているのか？　現役時代、私はＯＤＡのプロジェクト発掘調査にちょくちょく現地を訪れた。

アフリカには、綿の木と呼ばれていた巨木がある。しかしなぜか、首都ではこの木が切り倒されているのだ。薪にするのかもしれない。あれほどの巨木。成長する間、かなりの二酸化炭素を固定するにちがいない。そこで、夢ではあるが、「綿の木一億本を植えよう」というプロジェクトを提案しているのだ。

二番目の写真では、筆者が切り株の隣の巨石に立って両手を挙げている。これでデカさが分かるだろう。西アフリカのシェラネオーネの首都フリータウン。アフリカの広範囲で森林化できないだろうか。ＵＮＤＰ（国連開発計画）が音頭をとって、世界各国が参加するプロジェクト。その延長上に、次のプロジェクトが待っている。

かつて緑豊かだった地球は、牧畜、放牧等によって砂漠化していった。サヘル地域の砂漠化はそう遠い昔のことではない。地域の緑化に、日本（人）ほど貢献してきた国はないのではないか。

まず思い起こされるのは、中国のゴビ砂漠での遠山正瑛・元鳥取大学名誉教授の活動だ。一九七一年に定年退職したあと、私財をなげうって一人で訪中し、「死の土地」だった内モンゴルの土地の緑化に成功した。アフガンでの医師・中村哲氏の緑化事業はつとに知られるところだ。こうしてやればできることはいくらだってある。諦めには「現実が許さない」病理がはびこっているだけだ。

●日本のミッションの世界的意義

上智大学名誉教授、評論家の故・渡部昇一氏は大東亜戦争の世界史的意味を次のように述べている。

「日露戦争をその契機として、大東亜戦争は白人のアパルトヘイトを突き崩す決定打となった。これが世界史的意味である。ペリーが太平洋を渡って以後、もしこの極東に日本という国がなければどうなっていたか。白人の世界支配は末永く二、三世紀の間、揺るぎないものとなっていただろう。どこからも言葉による承認も感謝も寄せられないかもしれないが、日本はたしかにそれを阻止した。われわれはそのことを、孤独のなかで奥歯をかみしめるような矜持として持っていいのである」（別冊正論「大東亜戦争—日本の主張」より）

その後、世界における日本のプレゼンスは無きに等しく、理念なき国家となって、追うのは経済一本槍になり果てた。でも、変わる部分もあれば永久に変わらぬ部分もある。

東日本大震災直後の人びとの秩序ある冷静な行動原理は何も変わっていない。世界のツーリズムの人気国は相変わらず日本だ。深層にある、モノづくり日本の精神もなんら変わらない。嵐の海に譬えるなら、表面は大波にゆれていても深海は静まりかえっているのだ。

しかし、海面に近い層ほど波高く、政治と経済界は新自由主義のドグマに走り、さらにグローバリズムに走った。日本の戦略性はなきに等しい。

「世界は何に困っているのか。私たちの貢献できることは何か」

筆者がこいねがうこと、それは、わが国が多くの国にとって無ければ困る存在になること。それが、「世界に愛される日本」への近道であって、このことこそ日本の戦略でありたい。

確かなことは、最低、炭酸ガスを排出し続けて温室効果に寄与していることは認めねばならない。人類の長い歴史の中で自分たちの文明が犯した罪が、ブーメランのように我が文明に襲いかかっている。ウクライナ戦争によって終末時計は、破局まで残り一分三十秒に早まったという。シュペングラーの「西洋の没落」が著されて百年余。今や地球文明破局までカウントダウンが始まっている。この危機的状況の打開にこそ、「右脳と左脳」の項で湯川博士が提案された日本人の感性を活かす局面がありそうだ。

以下の「地球緑化プロジェクト」は、「未来省」が検討してほしいプロジェクトだが、科学的見地から、国立環境研究所からは、次のような問題点のご指摘をいただいている。

「一般論として、植林は気候変動対策として有効であるといえます。ただし、地域の生態系のバランスを崩さないようにするなどの配慮が必要です。なお、砂漠にパイプラインで水を引いて緑化をするというアイディアは、パイプラインの敷設や維持、送水等に必要なエネルギーやコストを考えると、必ずしもよいアイディアかわかりません」

以上を克服する技術的、財務的可能性を見極めなければならない。そこで考えてみた。水は、近場から運ぶのが理想だ。ナイル川河口に淡水湖を造り、これから揚水して上流域に運ぶ。またヨーロッパからの導水は地続きの地域を活用する。パイプ内の水を押し流すエネルギーは小型原子炉を当てることで何とかならないだろうか。いずれであれ、以下に示すマダガスカルの水パイプライン一〇〇キロ敷設の成功事例は大きな自信と参考になるだろう。

二〇一九年七月二五日、マダガスカル南部にあるマロバト村には一八〇キロメートルに及ぶ水パイプラインが開通した。水の供給率が国内で最も低いうえに、干ばつが深刻化、多発化するなどにも悩まされていた。新設された水パイプラインによって、四万人もの人びとへの水の供給が可能となったのである。

●サヘル地域の再緑化、なる！

以下は、筆者がいつも夢にみている未来の光景だ。想像の世界だが、可能性調査もせずにダメということだけはやめてほしい。

遠い夢、未来の夢。はじまりはじまり!!

「日本の皆さま。こちら、午前十時を過ぎたところです。遠いアフリカの地より『サヘル緑化プロジェクト』の竣工式の模様を中継いたします。

オアシスの中に広がる木陰の下に設営された会場、真正面には大画面のスクリーン、手前の壇上には主催者の、サハラを取り囲む国々の首相、国連、Ｇ７代表、日本の伊藤浩文総理大臣、他、世界大半の首脳が出席しています。

青空のもと、ヤシの木、ゴムの木などが生い茂った木陰には、周辺住民はもとより、世界中の人びとが、世紀のイベントを一目見ようと集まっています。アフリカ連邦を代表してアルジェリア大統領の開会宣言、続いてエジプト大統領が式辞を述べるところです。大写しのテレビ映像をご覧いただけるでしょうか」

吹奏楽団の演奏。パンパカパーン……パ、パ、パ、パンパカパーン！　テロップが繰り返し流れている。

“The dawn of a new civilization, responsible for the future. Goodbye　the old civilization”

エジプト大統領の挨拶の主文は以下のごとくであった。

「あらゆる不幸を生み出した古い文明よ、不信を、分断を、対立を、紛争を、病害を、生み出してきた古い文明よ、さようなら。人類のふる里、森を、青い地球を、壊してきた古い文明よ、さようなら。いま未来に責任を持つ新文明の夜明けを迎えた。アフリカの夜明け、ヨーロッパの、アジアの、オセアニアの、アメリカの、夜明け、全世界の平和に満ちる夜明けに祝杯を挙げよう！」

好き好きのグラスを口にし、次いで伊藤総理大臣の挨拶に耳を傾けた。

「ここで日本国の天皇の水の造詣をご紹介しましょう。皇太子時代の著書『水運史から世界の水へ』に示唆に富んだことが書かれています。『地球上には、雨が降りすぎて困る地域と、降らずに困っている地域があります』

この一言で、日本の知者は悟りました。ならば豪雨地域から乾燥地帯に水を引いたらいかがでしょうかと。そして、砂漠化した地域を手始めに、太古、そうであった豊かな森を育てるのです。やってやれぬことはない。しかも日本の国際貢献にこれほどふさわしいものはない。この先見の明が、石油パイプラインならぬ、水のパイプラインのネットワークを、地上、海峡に敷設するプロジェクトへと発展し、有史以前の緑の地球復元への第一歩を踏み出したのです。先行したのがマダガスカルの水パイプラインでした。この成功が自信になりました。サヘル地域のほか、ゴビ砂漠周辺、さらには今や、すべての国々が独自の緑化計画を策定し、国内緑化を競うまでになりました。多くの街が、環境創造都市宣言をするに至っています。またＯＤＡスキームを活用して先進国は開発途上国を支援しています。

かつて私たち人類の祖先は緑と共にありました。森を思慕する心情は脈々と私たちの魂を流れているのです。不幸なことに、いつからか私たち人類は、文明の力を過信するに至り、自然の掟さえも乗り越えることができるとまで傲慢になりました。それが、青い地球を炎暑の地球に変えてしまったのです。しかし人類の英知と相互信頼は失われてはいませんでした。

今、青い地球への第一歩を踏み出したのです。これより、宇宙の一員として、太陽はじめ、どの星にも後ろ指をさされることなく正々堂々、文明を、文化を、享受することが可能になるでしょう。すべての皆さま、おめでとう！」

ここでバックスクリーンに動画がアップされた。

「樋門が開きました。ヨーロッパ大陸からパイプラインで運ばれた水、その水がサヘル地域に流れていきます。大地緑化の始まりです。次は定点観測の写真です。初年、五年、十年……酷暑の中、住民が植林していきます。赤茶けた大地が緑で覆われていく様子がお判りいただけると思います。それらに要する資金は、理解ある大富豪の寄付、そして諸国の拠出金、有償、無償の資金協力によって賄われました」

大富豪のリストが名誉総裁の名のもとに次々にテロップで流れている。

「多大の貢献をされた中邑哲夫さんの長女、妃美子さんが招待席においでです。ドバイ放送局のインタビューでご紹介しましょう」

「お父上はどんな方でしたか」

「創造的人生を歩めて幸せだったと。そして、『志を立てて精進せよ』というのが口癖でした」

「何を夢見ていらっしゃったのでしょうか」

「緑化が進むと太陽光線だけで毎年のエネルギーが賄えるよって。それと、『為せば成る、為さねば成らぬ何事も、…成らぬは人の為さぬなりけり』と」

「それは誰の言葉でしょうか」

「むかし、藩の財政を立て直した偉い殿様…です」

「私たちの国はいつも災害が起こります。いつも負けないで、くじけないで、生きてきました。日本は選択しました。長年の経験を世界に役立てよう。世界に貢献することこそ日本の進む道だと」

会場の誰もが立ち上がって抱擁しあっています。事務局が着席するよう促していますが、もう誰もスクリーンを見ておりません。深い感動が会場いっぱいに広がっています。国も地域も、宗教も文化も、肌色も異なる人びとが抱き合っています。

「資金不足の解決は、地球平和をこいねがう諸国民の友情…に……。祈りは通じ、真摯な努力が評価され……とで資金提供…は世界各国が参加する壮大なプロジェクトに育っていったのです」万雷の拍手。よく聞こえない。聴いていない。世界中にライブで放送され、日本の視聴率は四〇%を超えた。(完)

エピローグ

以前「予言者　梅棹忠夫」（東谷　暁著・文春新書）を読んだ。

前世紀末、作家の司馬遼太郎氏と文化人類学者の梅棹忠夫先生はしばしばお会いになっていたようだが、読んで印象的だったのは、日本人は志を失ってしまい、「このままでは日本文明は終わりかもしれへん」「二十一世紀の中頃には日本はダメになるやろうな」と周囲に語っていた、という部分だ。

土地投機によるバブル狂乱を見て、お二人は、儲け主義で投機に走る傾向、日本人の「失志」を嘆いているのである。

「晩年にそのことでまた意見がおうてね。喋ってるとも陰々鬱々になるんですよ。あかんなぁ、こんなことではかんなぁと。しかし司馬は一九九六年に死去してしまう。生きていたら、語り合ってみたかったことはいっぱいありますが、やはり一番は日本人論です。とりわけ日本人の志の喪失です。司馬さんは日本の歴史や文化を比較的肯定的に捉えていましたが、晩年は私と同じように批判的になっていたようです。日本人の道徳心が欠如した、志が低くなった、と嘆いていたようです」

菊池寛の大衆明治史を読むと、西郷隆盛をはじめ日本人には大志があった。それがいつからか、公私混同や、公の私物化が行なわれたりするようになってしまった。日本をだめにしているのはこれではないだろうか。

志とは、おおやけのためにする、持続する意思、といえるだろう。私のそれは我が三つ子の魂が生んだものだ。

トンボの聖地の復元は執念の力によるものであり、同時に志でもあった。あの子らを想う時、次世代に希望ある国をこそ引き継ぎたい。それに不可欠なのが志だ。「よきふる里を与えよ」それさえ叶えば志は生まれる。

栗山監督は成功に関する哲学者だ。そして実践者だ。二〇二三年WBCで優勝した時発言している。（趣旨）「こうしたい、こうありたいとみんなが思う時、力がみなぎって勝利への道を歩む。また試合前の君が代を聴くとスイッチが入る」と。国を背負う気概だ。そして、大谷翔平を生んだこと。今回の勝利に導いたこと。それが彼の哲学の正しさを実践的に証明している。

先立つべきは志である。何よりも政治こそが、国民が希望と志を抱ける道を拓かねばならない。

あとがき

最初は、なんとしてでも少子化をストップさせねば、と思って執筆を始めた。初めの頃は量的なところに気が向いていたが、それだけではダメで、質的側面も大切なことに気づいた。現在ほど豊かな時代はないだろう。と同時に、今ほど、子育てを母親の辛苦に押し付けている時代もないのではないか。

江戸時代末期、日本を訪れた異邦人の感嘆の声に今一度耳を傾けてほしい。

子どもは丸々と太っている、泣き声を聴かない、幸せそのものだ、人力車は、子どもの側を通り抜ける時、一人一人を脇に抱えて避難させて通り過ぎる、その思いやる心が、庶民の皆が皆に満ちていたからではないのか。その秘密はどこにあるのか。想像ながら国富というものが、庶民の末端にまで還元されていた、あるいは、国富自体が国民のものだったからではないか。

モノ言う株主が一時、話題になった。「オレが投資したから儲けをオレによこせ」（だけではなく、投資家の意見を経営の参考にせよ、もあっただろうが)。投資できない貧乏人は自己責任だ、とする弱肉強食の世界でしかなかったのだ。

書き進めるうちに、思わぬ方向へと展開し、批判的なことにも言及するはめになった。ある意味、不甲斐ないことだし、お詫びしたい気持ちもある。なお、本論はアカデミズムからみると随分乱暴な議論なのだろう。筆者とて、我が持論のすべてが正論とは思っていないが、邪論ではない。あえていえば珍論の類だろう。だがそこに、観る人が観たら何かのヒントがあるかもしれない。そこにこそ本書出版の意義があろうかと思う。さらに筆者が気づかぬことも多々ある。それらをご教示いただける機会があればいくらでも出向きたい。

最後に感謝の意を表したい。特に少子化について、福岡大学の山﨑好裕教授に「子どもは公共財」との理論を開明していただいた。このことが、わが国の人口問題の解決に大いに寄与するに違いない。この思想を広めること、それが先生へのお礼であり私の責務との想いが出版を決意させた。紙面を借りて厚くお礼を申し上げたい。なお出版に際して、A

文学会の平田雅洋氏と田中大明氏には、あらゆる面でお世話になりました。ありがとうございました。

令和五年五月一日　糸島市の寓居にて　著者　記す

解説

A文学会

先進国の宿痾ともいえる少子化問題。国民の選択肢が多様化した社会である以上、すなわちその社会に「一本道の人生」以外の自由がある以上、ある程度はいたしかたのない現象とされてきた。ただしここ数年日本における少子化は急速に加速している。コロナ禍は確かにその理由のひとつではあるが、それがなくても歯止めがかかっていたかどうかは極めて怪しい。

海外に目を向けるならば、必ずしも国民に多数の選択肢を用意しているわけではない社会体制の国ですら、少子化を免れえていない例もみられる。人口爆発を抑止する意味から人口減少は歓迎すべきも、わが国の場合、その急激さと定常化（一定規模に収斂すること）への見通しがないことが問題なのである。

本作は、この長年解決されてこなかったこの問題をとりあげ、日本国民に的を絞り、踏みとどまれと鼓舞し、対策の責務とそれゆえに解決策もあるのだと熱をこめて説得している作品である。少子化対策論に対してそぐわない形容かもしれないが、非常に感受性豊かな作品だ。

まず、子育てを担う若年層の意識変化への苦言がない。むしろすべての世代に対し当事者意識を共有するよう促している。これは、知識見識の広さゆえというよりも（むろんそれもあるのだが）、強い危機感にせかされているからとの印象をうける。思考が「点」ではなく「線」としてつながっているから、さらに思考形式を常に「更新」する慣習があるから生まれた危機感だ。著者がどれだけ長い間、この問題を熟考してきたかが伝わる。

財源については現代貨幣理論を思わせる大胆な説を提唱している。著者がエピローグで「珍論」と謙遜するのはこの財源論ゆえかもしれない。だが「単年度主義への疑問」には説得力があり、「ワニの口は閉じなくてもよい」とのあっけらかんとした発想の転換は思考的興奮を誘う。

重苦しくなりがちな題材を軽やかに扱うべく、落語のように八っつあんと熊さんを登場させ、読み手の緊張を和らげる工夫は優しい。なによりも故郷・宮崎の自然に対するこよなき愛情、失われてしまったものへの切々たる哀惜の念は、本作の感受性の核をなす。幼少期、トンボの群生地を発見した場面描写の幻惑的な多幸感は、「これが第二章で踏み込んだ経済論を説いたと同じ人物の筆か」とうならされるほどだ。

蛇足であるかもしれないが、著者は執筆の間、次々に起こる社会問題の多くに反応し、真摯な意見を盛り込むべく原稿を改訂しようと苦闘されてきた。執筆目的は限定されてみてはどうか、お言葉をより直接的に読み手に伝えるためにも、と伝えて理解を得る一幕もあった。ありとあらゆる事象に目を配り対処手段を考え、それを発信しようと試みる、著者の意欲と柔軟性あってのことと考える。今後もこの向上心は変わることがないのだろう。

結局、人は人の心に反応する。本作の情熱、表出された文章の陰にうかがえる膨大な思考の厚みが、多くの読者に届くことを願う。

著者プロフィール

針貝　武紀

1940年生まれ。宮崎県出身
九州大学工学部土木工学科専攻（修士）
建設省職員、（一社）海外建設協会、コンサルタント企業等を経て現在執筆活動中。ライフワークは、幼少年期の自分の体験に照らして幼子の望ましい生育環境とはどのようなものかを探求すること。
福岡県糸島市在住。

この政治、この国　希望溢れる国にするために

2023年9月22日　第1刷発行

著　者　針貝　武紀
発行社　A文学会
発行所　A文学会
〒181-0015　東京都三鷹市大沢 1-17-3（編集・販売）
〒105-0013　東京港区浜松町 2-2-15-2F
電話 050-3333-9380（販売）FAX　0422-31-8164
E-mail：info@abungakukai.com

ISBN978-4-9911311-6-5